Susanna Tamaro

Ascolta la mia voce

Rizzoli

ISBN 88-17-01298-X

Prima edizione: settembre 2006

Ogni riferimento a fatti e persone reali
è del tutto casuale

A Daisy Nathan
alle sue domande lunghe un secolo

Ascolta la mia voce

Ritornate a me e io tornerò a voi

Malachia 3,7

Preludio

I.

Forse il primo segno è stato il taglio dell'albero.

Non mi avevi detto niente, non erano cose che riguardavano i bambini, così una mattina d'inverno, mentre io in classe ascoltavo con profondo senso di estraneità le virtù del minimo comune multiplo, la sega aggrediva il candore argentato della sua corteccia; mentre trascinavo i piedi nel corridoio della ricreazione, schegge della sua vita cadevano come neve sulla testa delle formiche.

La devastazione mi è piombata addosso al ritorno da scuola. Sul prato, al posto del noce, c'era una voragine nera, il tronco, già segato in tre parti e privato dei rami, giaceva al suolo mentre un uomo paonazzo, avvolto nel fumo sporco del gasolio, cercava di estirpare le radici azzannandole con le grosse tenaglie di un'escavatrice; il mezzo ringhiava, sbuffava, rinculava, si impennava tra le imprecazioni dell'operaio: quelle maledette radici non volevano lasciare la terra, erano più profonde del previsto, più caparbie.

Per anni e anni, stagione dopo stagione, si erano espanse in silenzio conquistando terreno palmo a palmo, intrecciandosi con le radici della quercia, del cedro, del melo, avvinghiando in un indissolubile abbraccio anche le tubature del gas e dell'acqua; per questa ragione gli alberi andavano abbattuti, avanzavano subdolamente nell'oscurità vanificando le opere dell'uomo che, quindi, era costretto ad applicare la sua tecnica contro la loro caparbietà.

A un tratto, sotto il sole freddo di uno zenit invernale, come fosse il tetto scoperchiato di una casa o la volta dell'universo al primo soffio della tromba, il maestoso ombrello delle radici era emerso davanti ai miei occhi con una costellazione di piccole zolle ancora appese ai fili radicali, abbandonando nel terreno la parte più profonda del fittone.

Allora – e solo allora – l'uomo, in segno di vittoria, aveva alzato un pugno verso il cielo e tu, con già il grembiule addosso, avevi battuto brevemente le mani.

Allora – e solo allora – io, che non avevo ancora aperto bocca né mosso un passo, ho sentito la mia spina dorsale innervare ogni cosa: non erano le mie vertebre, il mio midollo, ma un vecchio filo scoperto, le scintille correvano con finta allegria da un lato all'altro, la loro energia era fredda e feroce; si diffondevano ovunque come invisibili acutissime spine di ghiaccio, invadevano le viscere, infilzavano il cuore, esplodevano nel cervello, danzavano sospese nel suo liquido; schegge bianche, ossa di morti, nessuna altra danza se non quella macabra; energia ma non fuoco, non luce, energia per un'azione improvvisa e violenta; energia livida, ustionante.

E dopo il bagliore del fulmine, il buio della notte profonda, la quiete non quieta del troppo: troppo vedere, troppo soffrire, troppo sapere. Non quiete del sonno, ma della breve morte: quando il dolore è eccessivo, bisogna morire un po' per andare avanti.

Il mio albero – l'albero con cui ero cresciuta e la cui compagnia ero convinta mi avrebbe seguito in là negli anni, l'albero sotto il quale pensavo avrei cresciuto i miei figli – era stato divelto. La sua caduta aveva trascinato con sé molte cose: il mio sonno, la mia allegria, la mia apparente spensieratezza. Il crepitio del suo schianto, un'esplosione; un prima, un dopo; una luce diversa, il buio che si fa intermittente. Buio di giorno, buio di notte, buio nel pieno dell'estate. E, dal buio, una certezza: è il dolore la palude nella quale sono costretta a procedere.

Non c'è mistero più grande del minuscolo. È lì, nella protezione dell'invisibile, che avviene l'esplosione del segreto. Un sasso, prima di essere sasso, è sempre un sasso, ma un albero, prima di essere albero, è un seme; l'uomo, prima di essere uomo, è una morula.

È nel limite, nel circoscritto che sonnecchiano i progetti più grandi.

Per questo da subito ho capito che bisognava prendersi cura di ciò che è piccolo.

Morto il grande noce, ho pianto per giorni. Prima cercavi di consolarmi, come poteva il taglio di una pianta provocare una devastazione così grande? Anche tu amavi gli alberi, non avresti mai fatto una cosa del genere per farmi dispetto; avevi deciso così perché creava problemi, era troppo vicino alla casa e anche al cedro; gli alberi hanno bisogno di spazio, mi ripetevi, e poi un giorno, chissà, una radice sarebbe sbucata dallo scarico della vasca da bagno come il tentacolo di un nautilus, non volevo mica che succedesse una cosa così spaventosa! Cercavi di farmi ridere, o almeno sorridere, senza alcun successo.

Dal giorno della grande scarica passavo le giornate immobile nella mia stanza sdraiata sul pavimento, lo sguardo fisso su un cielo ottuso, di cemento, incapace di dare risposte.

In uno dei miei libri illustrati avevo letto da poco la storia delle oloturie, creature inermi senza volto eppure caparbiamente legate alla vita come tutti gli esseri viventi. Quando vengono attaccate, espellono di getto l'intero groviglio delle viscere – cuore, intestino, polmoni, fegato, organi riproduttivi – immobilizzando il predatore in una rete come quella dei gladiatori per avere così il tempo di mettersi in salvo, trovare riparo in una foresta di alghe, riposarsi e permettere alle cellule di aggregarsi e differenziarsi fino a formare una copia perfetta delle viscere appena perdute.

Ecco, io mi trovavo nella condizione di un'oloturia dopo un attacco, svuotata e senza parole. Alle tue tante domande non rispondevo, vivevamo in due universi distinti: tu nel tuo in cui, tutto sommato, prevaleva il buon senso ed io nel mio, un universo di minacce, di tenebre, saltuariamente solcato da folgori. Tra i nostri due mondi il rapporto era univoco, io vedevo il tuo ma tu non eri in grado di capire il mio.

Per questo al terzo giorno, esaurito il buon senso, finita la pazienza, consultato forse anche il pediatra, hai aperto la porta della stanza e hai detto: «Adesso basta, questo è davvero un capriccio. Un albero è un albero e se ne può sempre piantare un altro» poi hai cominciato a sfaccendare per casa come probabilmente facevi nelle mattine in cui ero a scuola.

Rinfacciare non è mai stata un'attitudine del mio carattere. La distanza tra i pianeti non è colpa di nessuno se non delle diverse leggi di gravitazione, l'orizzonte che si schiude davanti è diverso, lo sapevi anche tu che mi leggevi sempre *Il piccolo Principe*: ogni asteroide ha il suo tipo di abitante. Provavo solo un leggero stupore per la tua non considerazione del baobab: il noce era esattamente come il baobab. La rosa che hai voluto comprarmi dopo non è riuscita a sostituirlo in alcun modo.

Una rosa colpisce lo sguardo, l'olfatto, ma poi si taglia, finisce in un vaso e infine nella spazzatura. L'albero amato, invece, mette intorno al nostro cuore radici che, quando muore, si seccano e cadono, lasciando a loro memoria delle minuscole ma indelebili cicatrici.

Chi imputa a una persona – o a un evento – il fallimento della propria esistenza è come quei cani legati a una lunga catena che scorre su un cavo. In breve, sotto di loro, non cresce più l'erba, il suolo battuto diviene polveroso, cosparso di avanzi di cibo e di escrementi. Quando alla fine il cane muore logorato da quella corsa senza orizzonti e la catena finalmente pende inerte, ciò che resta di tutta quella ansiosa esistenza è soltanto un triste solco.

Gli eventi e gli incontri non sono zavorre o vicoli di cui non si conosce l'uscita, ma piuttosto specchi – piccoli, grandi, convessi, concavi, ondulati, deformanti, scheggiati, oscurati – capaci comunque, con il loro riflesso, di farci conoscere una parte ancora ignota di noi stessi.

Da quella vita da oloturia mi devo essere svegliata la quarta o quinta notte. La stanza era invasa dalla luce fredda della luna piena. Sul pavimento, l'attaccapanni proiettava la sua ombra sinistra. Perché mai nel buio ci deve essere un'ombra? a cosa serve, se non ad evocare l'esistenza di tutto ciò che non può essere afferrato?

Spesso, nelle sere della mia infanzia, ti sedevi accanto al letto e mi raccontavi una storia; tra tutto quel vorticare di principesse, incantesimi, animali mostruosi e fatti strabilianti mi erano rimaste in mente solo due immagini: gli occhi gialli dei lupi e i passi sgraziati e sordi del Golem; i primi stavano in agguato tra i boschi e le strade solitarie, mentre il Golem poteva andare ovunque, sapeva aprire e chiudere le porte, salire le scale; non divorava i bambini né li trasformava in mostri, eppure mi terrorizzava più di qualsiasi altra creatura, non era aria ma ghiaccio quello che respiravo appena ne evocavo il nome.

Schiacciata da quelle ombre minacciose, una notte del primo autunno, non fredda ma umida, avevo deciso di alzarmi e uscire.

Nell'aria aleggiava un profumo di essenze che rimandava un bagliore d'estate; forse proveniva dalle mele, alcune appese ai rami, altre già marcite al suolo, o forse dalle piccole susine a polpa gialla appena mature. La temperatura non era mai scesa sotto lo zero e dunque di foglie ne erano cadute poche, camminavo su un prato ancora verde disseminato qua e là da ciclamini selvatici e da qualche giovane tarassaco sfuggito alle tue pulizie.

Credendomi ormai priva di interiora, ho raggiunto il luogo dove sorgeva il noce e mi sono lasciata cadere in ginocchio, la terra era bagnata e cosparsa di rametti spezzatisi nello schianto.

Dove un tempo c'era l'albero, l'aria vibrava in modo diverso, per un istante ho avuto l'impressione che fosse ancora lì: le radici a pompare linfa lungo il tronco e le dita scure dei rami che la rispedivano giù, verso il suolo; da poco, da quel fiume di energia ancorato alla terra e proteso verso il cielo si erano staccati i frutti. La sinfonia irregolare della loro caduta aveva accompagnato ogni autunno della mia breve vita, al ritorno da scuola correvo a riempirmene le tasche.

«Lasciale stare, ché sporcano» gridavi dalla finestra della cucina, ma io non ti obbedivo, amavo schiuderle con delicatezza, senza frantumarle; invece di mangiarle, le guardavo nel palmo: per qualche misteriosa ragione erano assolutamente identiche a un'immagine che avevo visto sui libri di testo. Il nostro cervello e quello di tutti i mammiferi e degli uccelli sono fatti nello stesso modo: la scatola cranica come il guscio per proteggere la parte più fragile, la dura madre, la pia madre e, in mezzo ai due emisferi, la curiosità dell'ippocampo.

Per quale ragione due cose in natura si assomigliavano in maniera così impressionante? Perché una cosa rimandava a un'altra? Era questa una legge dell'universo oppure soltanto una follia, un attimo di distrazione incontrollata?

Il suolo intorno a me era ricoperto di noci, le piogge abbondanti avevano trasformato il mallo verde di giugno in una poltiglia nerastra; bastava sfregarlo con il pollice per vedere comparire il guscio. Duro, ma non abbastanza per sfuggire alle zampe rosate degli scoiattoli, ai loro denti d'avorio, al becco delle cornacchie grigie, dei corvi, delle gazze, delle ghiandaie; duro, ma non abbastanza da sottrarsi alle mie domande.

Perché quel noce – che prima c'era e poi non più – era il mio specchio, il primo specchio della mia vita. In ginocchio sulla terra ferita, affacciata su quel baratro, immersa nella luce sinistra della luna con un seme in mano e il cuore apparentemente vuoto, ad un tratto ho capito che nei miei giorni non avrei edificato palazzi né fortune e neppure formato una famiglia. Mentre una pigna del cedro si schiantava con fragore al suolo accanto a me, ho visto con chiarezza che la via che mi si apriva davanti era quella impervia e perennemente solitaria delle domande.

2.

Se con la memoria rivado alla casa, la vedo sospesa nella luce dell'alba. È ancora autunno perché, al tepore dei primi raggi, il suolo comincia a fumare e la nebbia sale. La vedo sempre dall'alto e da lontano, come un uccello in volo; mi avvicino lentamente e osservo le finestre – quante sono aperte e quante chiuse – controllo lo stato del giardino, il filo del bucato, la ruggine del cancello; non ho fretta di scendere, è come se volessi accertarmi che quella casa sia davvero la mia casa, che quella storia sia la mia storia.

Pare che i migratori si comportino allo stesso modo, percorrono migliaia di chilometri senza alcun tipo di distrazione, poi, quando arrivano nella zona in cui l'anno prima si è schiuso il loro uovo, cominciano a controllare: l'ippocastano dai fiori bianchi è ancora là? e l'automobile di colore verde? e quella simpatica signora che sbatteva sempre sul prato le briciole della tovaglia? Osservano tutto con precisione, perché per mesi nei deserti dell'Africa quella signora e quell'auto sono rimaste loro in mente. Ma di signore gentili e di auto verdi è pieno il mondo, qual è allora il fattore determinante?

Non è una visione, ma un odore, l'insieme dei profumi che popolavano l'aria nelle vicinanze del nido:

se la fragranza del lillà e quella del tiglio, per un istante, si sovrappongono, ecco, quella è la casa, il luogo giusto in cui tornare.

L'odore che mi ha assalito, invece, al mio ritorno dall'America, è stato quello di foglie bagnate che non riescono a bruciare; era ormai pieno mattino, il nostro vicino ne aveva fatto un cumulo e tentava inutilmente di dar loro fuoco, riempiendo l'aria di un pesante fumo bianco.

Da quel fumo eri emersa anche tu, forse appena un po' più magra di come ti ricordavo.

Convinta che, attraversando l'oceano, sarei riuscita a liberarmi di te, avevo viaggiato per mesi, visto molte cose, incontrato molte persone, ma tutta questa distanza aveva prodotto l'effetto esattamente contrario.

L'odio che provavo nei tuoi confronti era rimasto intatto. Mi sentivo come una volpe dalla grande coda, inavvertitamente avevo sfiorato il fuoco e camminavo seguita dalle fiamme; ovunque andassi c'era furore in me, e dolore e desiderio di sfuggire all'incendio; in ogni luogo, l'incendio mi seguiva, sempre più grande, più devastante. Quando ho infilato le chiavi nel cancello, dietro di me non c'era più la coda ma un intero covone, il fieno era secco e crepitante, ardeva con allegria emanando i suoi sinistri bagliori.

Eri sul vialetto, con la scopa in mano.

«Sei qui!» hai esclamato, la scopa è caduta, il legno del manico ha colpito la pietra con un rumore secco.

«Mi pare evidente» ti ho risposto e senza dire altro, ho raggiunto la mia stanza seguita dagli uggiolii festosi di Buck.

Nelle settimane seguenti sono ripresi i nostri riti di ferocia quotidiana – io ti odiavo e tu cercavi di scansare questo odio. Nei giorni in cui ti sentivi più forte tentavi di smorzarlo, ma i tuoi movimenti da pugile fuori allenamento avevano il potere di provocare in me un'irritazione ancora più grande. «Che cosa vuoi?» gridavo «sparisci!» Ti chiamavo "vecchia", prendevo le porte a calci ripetendo come in un mantra *crepa crepa crepa crepa crepa...*

Difficile capire come si fosse formato in me quell'odio. Come tutti i sentimenti complessi non era possibile imputarlo a un'unica causa ma piuttosto a un insieme di eventi collegati in modo sfavorevole a delle innate predisposizioni del carattere.

Quello che nella prima fanciullezza era stato un ruscello tranquillo, ai primi bagliori dell'adolescenza si era trasformato in un fiume devastato dalle piogge; l'acqua non era più verde ma gialla, ad ogni ostacolo si increspava con rombo potente, nelle sue anse accumulava ogni tipo di rifiuti – spezzoni di polistirolo, sacchetti di plastica, palloni bucati, bambole nude e senza gambe, rami divelti, gatti morti con la pancia tesa come un tamburo – che cozzavano gli uni contro gli altri in un flaccido sciacquettio, impotenti, astiosi, incapaci di liberarsi; così, fin dall'infanzia, sotto la superficie avevano cominciato ad accumularsi tante cose, né tu né io allora eravamo in grado di vederle: una parola detta o non detta, uno sguardo di troppo, un abbraccio mancato – tutte le normali incomprensioni di qualsiasi comune rapporto – con gli anni si erano trasformati dentro di noi in un deposito di polvere pirica.

Noi, ho detto, ma in realtà avrei dovuto dire me, perché tu cercavi con tutte le tue forze di evitare qualsiasi esplosione.

Tacevi, se pensavi fosse meglio, parlavi se reputavi più utile farlo, ma i tuoi silenzi e le tue parole erano sempre fuori luogo. «Perché stai zitta?» gridavo, irritata da una tua mancanza di reazione. «Perché apri bocca?» ruggivo certa che ciò che dicevi era soltanto una provocazione.

Ogni tanto avevo una crisi. L'elettricità invadeva il mio cervello, termiti aggressive correvano sotto la scatola cranica, erano loro a spegnere la luce, le loro mandibole tranciavano i cavi e ogni cosa scivolava nel buio. E dal buio alla riconquistata calma. A un tratto non c'era più un fiume dentro di me ma un lago, un piccolo lago di montagna, la luce dell'alba rendeva rosa le cime e sul fondo grasse trote si muovevano con la sinuosità delle alghe.

Sì, davvero tutto poteva ricominciare, come ogni giorno emerge dalla notte. Si aprivano le finestre e la casa veniva invasa dall'aria fresca; con l'aria entrava la luce, sembravano non esserci più angoli bui: insieme facevamo una torta, insieme uscivamo a fare la spesa o andavamo in biblioteca a scegliere nuovi libri.

«Perché non prendi le tue pillole?» mi dicevi ed io, per due o tre settimane, ti obbedivo.

Le settimane della quiete.

Era bello, in quei giorni, poter respirare, camminare, guardarsi intorno senza sentire sempre alle spalle il crepitio della miccia, era confortante dormire ed alzarsi senza il timore di esplodere.

Ma come tutte le cose belle, era di breve durata.

A un tratto, un mattino, aprivo gli occhi e mi assaliva il tedio della pace, quella vita lineare e responsabile non era più la mia, non era mio il mondo del buonsenso dove le azioni si susseguivano l'una l'altra spensierate come bambini in un girotondo.

Avevo bisogno del dolore per sentirmi viva, doveva scorrere nelle mie vene assieme all'emoglobina, era l'unica via di vera esistenza. Sapevo che era acido, veleno, nube tossica, intuivo che avrebbe corroso il mio interno e tutto ciò con cui entravo in contatto, ma non potevo rinunciarvi. La bontà, la ragionevolezza non avevano altrettanta energia, erano sentimenti fiacchi, monotoni, privi di una vera direzione.

A cosa serviva essere buoni? A vivere una vita da fantocci, un'esistenza da sacchi di patate, vittime inerti di volontà più grandi.

Cos'era, poi, la bontà? Una nube indistinta di azioni innocenti, la melassa da attraversare per giungere ad una qualsiasi forma di ricompensa, il chiacchiericcio odioso dei talk show pomeridiani. Che cosa me ne facevo di una merce tanto scadente? Nulla, assolutamente nulla.

Dall'alba al tramonto me ne andavo in giro come se fossi il cono di un vulcano, tra il cuore e il fuoco il contatto era diretto, non c'erano anse, soffioni, vicoli ciechi: il magma incandescente e fluido si muoveva al mio interno, saliva e scendeva con ritmo incostante, trasbordava a volte, come l'acqua da un recipiente troppo colmo.

A dieci, a undici, a dodici anni potevo ancora starti accanto sul divano a leggere, ma già a tredici cominciavo a dare segni di insofferenza; a quattordici, l'unica storia che volevo davvero conoscere era la mia.

È stato proprio in uno di quei pomeriggi di lettura

– era aprile, sul giardino batteva una pioggia fredda – che all'improvviso dal mio interno è uscita un'altra persona: stavamo leggendo *Le mille e una notte*, uno dei tuoi testi preferiti, quando a un tratto mi sono alzata sbuffando: «Non ne posso più di queste stronzate!».

Hai abbassato il libro, incredula.

«Ma come parli?!»

«Parlo come mi pare» ho risposto e sbattendo la porta sono uscita dalla stanza.

Per tutta l'infanzia, mentre i miei coetanei si ingozzavano di programmi televisivi, avevi riempito la mia vita di fiabe, di poesie, di storie straordinarie. Amavi la lettura e volevi trasmettermi la stessa passione o forse eri convinta che l'essere nutriti di cose belle costituisse un antidoto all'orrore.

Dal primo ricordo della nostra vita in comune, tra me e te c'è sempre stato un libro: era quella la via attraverso cui sapevi condurre i rapporti, era il tuo mondo, il mondo in cui eri cresciuta, la borghesia ebraica che aveva lasciato lo studio della Torah per la lettura dei romanzi. Con i libri si capisce meglio la vita, dicevi spesso, attraverso la letteratura puoi comprendere in profondità le emozioni.

Era a quello che mi ribellavo? alla tua pretesa di capire le cose? o al fatto che, nonostante la grande quantità di personaggi immortali che con familiarità calpestavano quotidianamente il territorio dei miei sogni, invece di diventare più saggia, ero sempre più inquieta? perché invece di sentire la profondità delle emozioni ne percepivo la falsità?

Era come se, nel corso degli anni, l'impalcatura del nostro rapporto fosse stata costruita da mani poco esperte, all'inizio sembrava salda, ma poi, innalzandosi, aveva cominciato a mostrare i difetti; bastava un po' di vento per farla oscillare. Lungo i tubi si erano arrampicati tantissimi personaggi: Oliver Twist e Michele Strogoff, Aladino e il Piccolo Principe, la Sirenetta e il Brutto Anatroccolo, il Golem e la strega di Hänsel e Gretel, le mute di cani di Zanna Bianca, Martin Eden, Urashima e la divinità benignamente massiccia di Ganesh che, in mezzo a una danza scatenata di dibbuk, faceva cigolare sinistramente le traverse. Stavano tutti lì, tra te e me, alcuni seduti, altri in piedi, e i loro volti si frapponevano ai nostri, i loro corpi proiettavano ombre sulla nostra storia e io volevo luce, la luce della sincerità, la luce della chiarezza.

Quella luce che mi avrebbe permesso di vedere gli unici volti che volevo realmente vedere, quelli dei miei genitori.

Sì, il tempo dell'inquietudine è stato il tempo della ricomparsa di mia madre. Fino ad allora la sua presenza era rimasta discretamente sullo sfondo, c'eravamo noi due e nel nostro rapporto eravamo – o credevamo di essere – autosufficienti: niente screzi, niente domande indiscrete, i giorni scivolavano come un treno in mezzo alla nebbia, ogni cosa era ovattata, priva di vero spessore, la costrizione delle rotaie ci dava la certezza della quiete.

Poi, un mattino di maggio, svegliandomi, per la prima volta mi ero accorta che in tutta la casa non c'era una sua fotografia: non in salotto e neppure in cucina, nessuna traccia in camera tua e non avevi avuto neppure il buongusto di metterla nella mia. L'unica reminiscenza del suo aspetto era affidata al mio ricordo, ma ero piccola allora e con gli anni le sue sembianze, come un disegno esposto troppo a lungo alla luce, avevano cominciato a sbiadire, confondendosi con altri tratti, altri frammenti di storie.

Chi era mia madre?

Di lei sapevo due cose soltanto: che era morta nello schianto della sua auto e che aveva frequentato l'università a Padova senza mai laurearsi.

Quel mattino ho fatto irruzione in cucina, il latte era già sul fuoco, lo stavi spegnendo.

«Non abbiamo sue foto!» ho esclamato.

«Foto di chi?»

Dentro di me ho sentito un rumore come quando si cammina sul ghiaccio, la gola ha tremato per un istante prima che riuscissi a dire: «Della mamma».

Due giorni dopo, sul mio comodino, è comparsa una cornicetta con dentro un'immagine in bianco e nero di una bambina vestita con un grazioso abitino a nido d'ape; era seduta su un'altalena, la stessa altalena dai tubi rossi che avevamo in giardino. Ho preso la foto e ti ho raggiunto in giardino.

«Non voglio tua figlia» ti ho detto «voglio mia madre.»

Prima di strapparla, ho fatto in tempo a leggere sul retro: *Ilaria, undici anni*.

Allora nella mia stanza è comparsa una polaroid dai colori incerti, raffigurava una giovane donna in un locale pieno di fumo, aveva una mano sotto il mento e sembrava ascoltare qualcuno.

3.

Ora so che gli avvenimenti possono avere sfumature diverse, ciò che vediamo con la nostra limitatezza è quasi sempre parziale. Forse avevi pensato di non turbarmi con il ricordo o forse per te il dolore era ancora troppo forte – in fondo erano trascorsi appena dieci anni – da non essere in grado di sopportare una sua foto per casa. Forse preferivi tenere il suo sguardo e il suo volto chiusi nella profondità del tuo cuore; era lì che avevi eretto un altare, era lì, nel buio e nel silenzio, che commemoravi l'atrocità della perdita.

A quel tempo, però, con il furore manicheo dell'adolescenza, vedevo solo una parte della realtà: la cancellazione. Avevi perso una figlia e non volevi ricordarla; quale indizio più grande di una perversità dell'anima? E quella figlia, per di più, era mia madre, morta precocemente dopo una vita di chiaroscuri.

Di lei non mi avevi raccontato pressoché nulla. Certo, anch'io avrei potuto farti delle domande e tu sicuramente, prima con un certo impaccio poi con più scioltezza, me ne avresti parlato e, rivivendo quei momenti, il ghiaccio del tuo cuore si sarebbe sciolto, io avrei dato un nome ai miei ricordi e tu ti saresti liberata della zavorra dei tuoi; alla fine ci saremmo abbracciate e saremmo rimaste a lungo così, con il volto inumidito dalle lacrime, mentre il sole tramontava alle nostre spalle e le cose intorno scivolavano nella penombra.

Avrei potuto farlo, ma non l'ho fatto. Era il tempo dello scontro e scontro doveva essere: muro contro muro, acciaio, marmo, diamante. Chi delle due aveva la testa più dura, chi aveva il cuore più feroce, alla fine sarebbe sopravvissuta. Nella mia ossessione colpevolista ero convinta che tu avessi agito come quegli animali che alle volte rapiscono i cuccioli dei loro simili e li fanno propri. Desideravi restare giovane o forse eri invidiosa di tua figlia, per questo le avevi sottratto sua figlia, il suo unico motivo di gioia. In qualche modo, insomma, la tua volontà aveva interferito con la vita di mia madre: con la vita e con la morte perché anche in questo – ormai mi era chiaro – ci doveva essere stata una qualche tua segreta responsabilità.

A volte penso come sarebbe bello che a un certo punto della nostra infanzia qualcuno ci prendesse da parte e con una lunga bacchetta ci mostrasse, come se fosse un carta geografica appesa alla parete, la mappa dei giorni a venire della nostra vita. Staremmo lì seduti sullo sgabello, con il mento in alto, ad ascoltare un signore (lo immagino con la barba bianca e un completo kaki, geografo, naturalista o qualcosa del genere) che ci spiega il percorso più sicuro per addentrarci in quel territorio misterioso.

Perché nessuno ci suggerisce i punti in cui fare attenzione? qua il ghiaccio è più fino, là ha più spessore, procedere, deviare, arretrare, fermarsi, evitare. Perché dobbiamo sempre portarci dietro il peso dei gesti non fatti, delle frasi non dette? quel bacio che

non ho dato, quella solitudine che non ho abbraccia-
to. Perché fin dalla nascita viviamo immersi in questa straordinaria ottusità? Tutto ci sembra eterno e la
nostra volontà regna caparbia su quello staterello
piccolo e confuso che si chiama io, lo omaggiamo come un grande sovrano. Basterebbe aprire gli occhi
un solo secondo per rendersi conto che in realtà si
tratta di un principe da operetta, volubile, lezioso,
incapace di dominare e dominarsi, incapace di vedere un mondo al di fuori dai propri confini, che altro
poi non sono che le quinte – mutevoli e ristrette – di
un palcoscenico.

Quanti mesi erano trascorsi dal mio ritorno?
Tre, forse quattro. In quei mesi, mesi di guerriglia,
non mi ero accorta di niente, non mi ero resa conto del
tuo incedere a momenti diverso, del tuo sguardo in cui
per alcuni istanti, a sorpresa, aleggiava lo smarrimento.
Ho avuto il primo indizio una mattina in cui soffiava forte la bora: ero andata a comprare il pane e il
latte prima che il suolo ghiacciasse, rientrando in casa mi hai accolto con un sorriso stupefatto, battendo
brevemente le mani: «Ti comunico una novità, abbiamo degli ufo in cucina!».
«Ma cosa dici?»
Non sapevo se ridere o arrabbiarmi.
«Non mi credi? Vieni a vedere, non sto scherzan-
do.»
Abbiamo ispezionato la cucina da cima a fondo,
tu aprivi i cassetti, il forno, il frigorifero in preda a
una crescente agitazione.
«Eppure erano qui un secondo fa» continuavi a ripetere. «Ti dico che erano qui, ora crederai che ti ho
presa in giro.»

Ti guardavo perplessa.

«È un gioco?»

Sembravi quasi offesa.

«Erano sette o otto. Sono comparsi tra i fornelli non appena ho aperto il gas, quando l'ho spento si sono trasferiti nell'acquaio.»

«E cosa facevano?»

«Ballavano. Non sentivo nessuna musica, ma sono certa che ballavano.»

«Forse se ne sono andati via dai tubi.»

«Dai tubi? Sì, forse, forse entrano ed escono dai rubinetti.»

Da quel giorno, oltre che da noi due, la casa ha cominciato ad essere abitata anche dagli extraterrestri. Inutilmente ti avevo spiegato che gli ufo scendono dai dischi volanti, che li vedono solo gli scienziati della Nasa o chi ha alzato troppo il gomito, era davvero impossibile che danzassero nelle cucine di una casa: se fossero atterrati in giardino se ne sarebbe accorto tutto il vicinato e gli alberi avrebbero preso fuoco.

Mi ascoltavi tranquilla ma dallo sguardo capivo che non avevi abbandonato la tua idea.

«Più che ufo, a me sembrano dibbuk» ti ho suggerito un giorno. Hai alzato le spalle con insofferenza, come a dire: chiamali come ti pare.

Secondo la tua descrizione erano verdi, lo stesso colore chiaro dei piselli freschi, anche la consistenza era simile a quel baccello; le braccia e le gambe invece ricordavano le zampe del geco, però in posizione eretta. La coda era breve e glabra e, al posto della bocca e del naso, avevano una grande tromba con cui parlavano, mangiavano, respiravano. Apparivano e sparivano nei momenti più imprevisti, scendevano dal caminetto, nuotavano nella vasca da bagno, con le loro manine appiccicose ci salutavano dall'oblò della lavatrice. A volte ti sembrava che volassero o si arrampicassero sulle tende come dei piccoli marsupiali. Ormai non si limitavano più a ballare, ridevano. «Ridono di me!» dicevi con furore attraversando la casa con i capelli sciolti.

Camminavi di continuo, con ritmo frenetico, su e giù per la casa, avanti e indietro dal giardino, senza tregua, anche di notte (cosa che non avevi mai fatto), salendo e scendendo le scale, aprendo e chiudendo i cassetti; a volte avevo l'impressione di avere in casa un topo ballerino, quei topi che, per un'anomalia genetica, corrono sempre intorno, *tic tic tic, tic tic tic*.

I tuoi passi attraversavano tutte le mie notti.

Un paio di volte mi sono alzata e ti ho afferrata per le spalle – erano sottili, fragili – scuotendoti: «Cosa stai cercando?».

Mi hai scrutato con sufficienza quasi altera.

«Non capisci? Cerco di difendermi.»

Un mattino all'alba, già vestita e con passo sicuro ti sei diretta in paese, alle otto il droghiere ti ha trovato davanti alla porta del suo negozio.

«Voglio qualcosa contro gli ufo» gli hai detto prima ancora che sollevasse la saracinesca.

Inutilmente aveva cercato di placarti proponendoti un antitarlo – che comunque poteva snidarli – o un liquido capace di cacciare dai tubi qualsiasi intruso. Avevi sbattuto il tuo piccolo pugno sul banco gridando: «È una vergogna!» ed eri uscita come una furia.

Da quel giorno, quando andavo in paese a fare la spesa, sempre più spesso qualcuno mi chiedeva con finta indifferenza: «Come sta la nonna?».

4.

In una casa abbandonata il degrado procede in modo lento ma inesorabile, la polvere si accumula, le pareti non più riscaldate iniziano ad assorbire il freddo dell'inverno e il caldo dell'estate; senza ricambio d'aria, calore e umidità trasformano la casa in una sauna, gli intonaci si sgretolano, cadono giù sotto forma di polvere; poco dopo iniziano anche le malte, si staccano dalle pareti e precipitano al suolo con tonfi sempre più consistenti come, dai tetti, precipita la neve al tempo del disgelo. Nel frattempo, grazie a qualche raffica di vento o alla mano di qualche teppista annoiato, anche i vetri vanno in frantumi. Le modifiche della meteorologia si fanno ora più potenti, pioggia e vento entrano senza barriere così come i raggi infuocati e cumuli di foglie, cartacce, pezzi di plastica, rametti, accompagnati da ogni tipo di insetti e di uccelli, di topi e pipistrelli; colonie di piccioni nidificano sul pavimento, i calabroni costruiscono il loro nido su qualche trave del soffitto mentre i ferri di cavallo trovano più comodo il lampadario; quel che resta del piancito viene corroso dagli escrementi e a sgretolare il resto ci pensano i denti dei roditori.

Così, quella che un giorno era una graziosa casetta, ora è un edificio abitato solo da spettri, a nessuno verrebbe in mente di aprire quella porta: troppo pericoloso, le continue infiltrazioni hanno fatto marcire i solai, basta un peso minimo per precipitare al piano sottostante. Il pavimento crolla e trascina con sé tutto quello che un giorno era la vita della casa: cadono uno dopo l'altro i mobili, precipitano i piatti, i bicchieri, i vasi di fiori, gli album di foto, i soprabiti, le scarpe, le pantofole, i libri di poesia, le foto dei nipoti, i ricordi di viaggio.

In quei lunghissimi mesi, l'immagine del degrado della casa era sempre presente nella mia mente, visualizzavo una stanza e poi la vedevo crollare, non di colpo ma poco a poco, come se intorno la realtà avesse un'altra consistenza – sabbie mobili o gelatina – le cose cadevano ma, invece di infrangersi, venivano inghiottite in un silenzioso nulla e in quel vuoto si muovevano soltanto i fantasmi, entravano ed uscivano dalle fessure con l'agilità delle anguille.

Per anni, forse decenni, gli ufo avevano sonnecchiato in qualche parte del tuo cervello, probabilmente erano sbucati da qualche documentario sugli extraterrestri, erano entrati, con i loro piedini a ventosa e il naso-bocca a tromba, nella tua testa e lì erano rimasti senza mai dare segni di vita. Mentre tu cucinavi, parlavi, guidavi la macchina, leggevi libri, ascoltavi musica, ripetevi le poesie a memoria, quella piccola colonia stava lì sospesa in una sorta di dormiveglia, aspettando soltanto che cedessero i cardini e un colpo di vento più forte degli altri la liberasse.

Sì, gli ufo-dibbuk sono stati lo squillo di tromba. Avrei dovuto allarmarmi a quei primi segnali, prepararmi alla battaglia, invece non mi ero neppure infilata l'armatura, non potevo immaginare che la guerriglia di casa si sarebbe modificata, che non sarei più stata io a tendere gli agguati ma un invisibile nemico che agiva su due fronti.

Dovevo difenderti e difendere me stessa. Giorno dopo giorno la tua memoria crollava come il solaio della casa disabitata.

Crollava e si popolava di fantasmi.

Ad un certo punto tra me e te c'era una folla, vivevamo con quella sinistra compagnia, poggiando i piedi su un pavimento sottile e trasparente come una sfoglia.

Un paio di mesi dopo la comparsa degli ufo ho chiamato il medico e, per non allarmarti, ho finto che fosse per me.

Quel giorno, ti sei comportata in modo assolutamente normale, hai apparecchiato in giardino, stendendo una bella tovaglia sul tavolo sotto la gloriette, offrendo biscotti e tè freddo al dottore, tuo vecchio amico. Lui, con noncuranza, ti ha fatto delle domande e tu allegra hai risposto; siete poi passati a parlare delle vacanze imminenti, di un suo nipotino in arrivo e del sistema migliore per combattere gli afidi delle rose, ti avevano detto che il modo più economico ed efficace era irrorarle con dell'acqua intrisa di mozziconi di sigaretta.

«Già!» è stato il commento del dottore «se ammazzano noi, ammazzeranno pure gli afidi.»

Ti guardavo e mi sentivo smarrita. Dov'erano finiti gli indesiderati abitatori della cucina?

In fondo al prato un merlo reclamava con insistenza il suo territorio, dei moscerini si affollavano sopra un tratto di aiuola particolarmente umido mentre la luce del tramonto colpiva le loro ali, trasformandoli in schegge dorate; al rumoroso passaggio di un cervo volante sulla nostra tavola, ti sei alzata.

«Vi lascio un po' soli, le ortensie hanno sete.»

Ti abbiamo seguita in silenzio con lo sguardo fino alla pompa; Buck ti veniva dietro, abbaiando contro il tubo nero di gomma che strisciava tra l'erba. Giocava? pensava di difenderti? Chissà.

Rimasti soli, non ho dovuto faticare molto per convincere il dottore che quella calma, quella normalità erano soltanto apparenti. Nelle malattie che coinvolgono la memoria e la personalità – mi ha spiegato – all'inizio permane una specie di controllo; inconsciamente ci si sforza davanti ad estranei di tenere il comportamento di sempre, è come se una sorta di straordinario pudore scendesse a proteggere la persona.

Avevi già avuto un ictus quando ero in America – non lo sapevo? – probabilmente c'era stato qualche altro episodio ischemico, il cervello era sempre meno irrorato, l'ippocampo cominciava a zoppicare; prima sparivano i giorni, poi i mesi, gli anni, le voci e i volti, era come un susseguirsi di tsunami: ogni onda trascinava via un dettaglio, lo portava in mare aperto, nell'oceano, in un luogo da cui non era più possibile fare ritorno. Le poche cose in grado di resistere venivano comunque deformate dalla violenza dell'impatto.

Stavi ancora innaffiando l'aiuola, vedevamo la tua silhouette muoversi controluce immersa nel pulviscolo luminoso delle goccioline d'acqua in sospensione.

«Si può curare?» ho chiesto.

Il dottore ha allargato le braccia.

«Poco o niente. Appena qualche calmante.»

«E quanto può durare?»

«Fino a che regge il cuore. Sembra crudele ma è così. La testa se ne va e il cuore resiste, può battere per anni in un corpo che ormai è una conchiglia vuota.»

Quando ho accompagnato il dottore al cancello, tu l'hai salutato da lontano con la mano aperta, come una bambina in partenza per una gita scolastica.

La giornata si è conclusa senza sorprese. Dopo aver bagnato il giardino, sei rientrata in casa e hai preparato la cena. Dalla finestra aperta giungeva la prima aria dell'estate, profumata, calda, carica di speranza. Abbiamo parlato di libri, volevi rileggere *I Buddenbrook*. «Non è noioso?» ti ho chiesto. «Per niente!» e hai iniziato a raccontarmi del birraio Permaneder, di sua moglie e di tutti i personaggi che in quegli anni ti erano rimasti in mente.

Prima di andare a dormire ci siamo scambiate il bacio della buonanotte, non lo facevamo da molto prima che partissi per l'America.

A letto ho pensato che forse davvero avevi scherzato, ti eri divertita a prendermi in giro e adesso il gioco era finito e con quel pensiero mi sono addormentata.

Il mattino dopo mi sono svegliata di colpo, col tuo viso furioso su di me: «Mi hai rubato le pantofole!».

Nel giro di poche settimane mi sono trovata a convivere con una persona del tutto sconosciuta, erano spariti gli extraterrestri ma al loro posto era subentrata la mania di persecuzione.

Tutto e tutti cospiravano contro di te.

Una congiura fatta di bisbigli malevoli, di derisioni alle spalle, di furti continui; sparivano le pantofole e la vestaglia, si volatilizzavano la borsetta e il cappotto, svanivano nel nulla le chiavi di casa e gli occhiali; qualcuno aveva rubato le pentole con cui volevi cucinare e il pranzo che avevi appena preparato; nel frigorifero non c'era più traccia della spesa e dal bagno mancava la saponetta. Di tutte queste sottrazioni, dato che gli ufo non c'erano più, ero sempre e solo io la responsabile, lo facevo unicamente per farti dispetto, per trasformare la tua vita in un inferno di ricerche.

Ti eri procurata dal ferramenta una gran quantità di lucchetti e di catene con cui legavi e chiudevi ogni cosa. Per non perdere le varie chiavi, le avevi inanellate in un lungo nastro rosso che tenevi al collo; quel tintinnio continuo, unito al calpestio del tuo infaticabile andare, è il rumore di fondo che mi è rimasto di quei mesi.

Mi accusavi delle cose più impensabili e non sapevo come difendermi, le poche parole che tentavo di dire erano come un liquido infiammabile – poche gocce bastavano per farti esplodere; divampavi allora di furore, la mandibola contratta, gli occhi stretti, le mani sottili a graffiare l'aria; passavi ore a pronunciare maledizioni irripetibili. Aprivi e chiudevi i cassetti, con fare furtivo trasportavi le cose da un luogo a un altro, ancora più segreto. Aprivi e chiudevi gli armadi, il frigorifero, il forno. Salivi e scendevi le scale. Aprivi e chiudevi le finestre, ti affacciavi di colpo per scoprire qualcuno in agguato, la stessa cosa facevi con il portone d'ingresso: eri sicura di avere visto qualcuno – dietro gli stipiti si nascondevano presenze che ti scrutavano malevolmente, bisognava combatterle in modo implacabile, batterle sempre sul tempo.

Per creare un minimo di complicità con te, ti aiutavo a organizzare le varie strategie di difesa; avevo comprato un fischietto confidandoti che era magico, che aveva il potere di tenere lontane le entità maligne. Me lo avevi strappato di mano, gli occhi sgranati dallo stupore. «Davvero? Funziona?» ripetevi con una sorta di sollevata gratitudine.

In effetti per qualche tempo aveva funzionato.

Ora nella casa, al rumore dei tuoi passi, al tintinnio delle catene, si era aggiunto quel sibilo acuto, accompagnato puntualmente dall'abbaiare di Buck, disturbato dalle frequenze troppo alte. In mezzo a quella sinfonia infernale ero io ormai ad aggirarmi come un fantasma. Nei rari momenti in cui cedevi al sonno mi fermavo a contemplarti: stavi raccolta in posizione di difesa, i pugni contratti, le labbra tese, i muscoli del volto continuavano a muoversi senza pace così come, sotto il velo sottile delle palpebre, facevano gli occhi.

Spiando i tuoi lineamenti cercavo di risalire alla persona che mi aveva cresciuta. Dov'era finita? chi era quella anziana donna che avevo davanti? da dove era venuta fuori? com'era possibile che una persona mite e gentile si trasformasse nel suo opposto? Grettezza, ira, sospetto, violenza – da dove era esplosa tutta quella spazzatura? L'aveva covata da sempre dentro di sé o era semplicemente riuscita a controllarla per tutti questi anni e adesso, senza i freni inibitori della sanità mentale, manifestava quello che aveva sempre voluto essere? o era davvero un dibbuk, un'entità giunta dall'esterno? c'era la possibilità che quel dibbuk entrasse anche in me?

Forse, come in certi robot dei film di fantascienza, conteniamo tutti fin dall'inizio – nascosto tra la pia madre e la dura madre – un programma di autodistruzione? E chi carica il timer? chi ne stabilisce la durata?

Non mi ero mai soffermata a lungo sulla questione se il cielo fosse o meno abitato da Qualcuno di diverso dagli ufo ma in quei lunghi pomeriggi d'autunno, per la prima volta, riflettendoci, mi ero data una risposta: il cielo è vuoto o, se non lo è, l'entità che lo abita si disinteressa totalmente di quello che succede nel mondo sottostante, si tratta di qualcuno insomma che, nel creare il suo giochetto, si è distratto parecchie volte. Come si può spiegare altrimenti il fatto che una persona contenesse in sé una così alta forma di degrado? che in pochi mesi venisse azzerata una vita piena di dignità e di intelligenza? che la memoria potesse scomparire così, come per il passaggio di una spugna? Quale ipocrisia doveva esserci in chi parlava di un Padre buono! Che padre mai vorrebbe un destino simile per i propri figli?

Spesso di notte – per sfuggire al continuo ticchettio dei tuoi passi, al fischietto, al cigolio dei cardini – mi rifugiavo nel punto più lontano del giardino.

Vista da fuori la casa sembrava davvero la nave dei fantasmi: ti vedevo comparire annunciata dal tintinnio delle chiavi e scomparire come un'ombra dietro le finestre illuminate, mentre dalla statale saliva il frastuono dei camion ed echeggiava il solitario abbaiare dei cani dalle ville sparse.

Nelle notti di vento, i pini neri sopra di me cigolavano come l'alberatura di una nave.

Stavo rannicchiata lì e finalmente riuscivo a piangere. Più che di dolore, di rabbia; dal pianto passavo ai calci, colpivo i tronchi con violenza, prendevo a pugni la corteccia fino a farmi colare il sangue lungo i polsi. *Fammi morire!* gridavo al vento, alzando la voce perché portasse le mie parole lontano, in alto. *Falla morire, portala via, distruggila, polverizzala! Se non vuoi lei, prendi almeno me! Sì, se esisti, Tu, lassù, fammi morire!* Poi mi buttavo a terra e abbracciavo Buck che scodinzolava impaurito ai miei piedi.

Un mattino, al risveglio da una di quelle notti all'aperto, ho avuto il timore di essere stata esaudita; avevo dormito più a lungo del solito e al mio rientro in casa aleggiava un'anomala quiete: nessuno scalpiccio né fischi o rumori di catene, non un'imprecazione, niente.

Dopo qualche minuto di incredula attesa ho socchiuso con cautela la porta della tua stanza, temendo di trovarvi il tuo corpo; con lo stesso timore ho perlustrato ogni stanza: di te non c'era traccia.

Sono scesa allora in giardino seguita da Buck, ma non eri tra le ortensie, né in legnaia, neppure in fondo al garage. Non potevi aver preso la macchina perché già da tempo avevo fatto sparire le chiavi, dunque se eri uscita lo avevi fatto a piedi, anche se il cappotto era al suo posto, così come la tua inseparabile borsetta.

Stavo andando dai carabinieri per denunciare la tua scomparsa quando è squillato il telefono: era il fruttivendolo, ti aveva fermato mentre stavi attraversando un incrocio, scalza e in sottoveste, e ti aveva portato con sé al negozio.

«Siamo nel tunnel» continuavi a ripetere «papà, mamma, siamo nel tunnel, ce l'abbiamo fatta!»

Da qualche tempo la tua nuova ossessione erano i bombardamenti, e i tedeschi che bussavano alla porta. Quando mi hai vista comparire mi hai accolta con ostilità, senza riconoscermi. «Che cosa vuole da me?» Soltanto quando, avvicinandomi, ti ho confidato all'orecchio di essere la responsabile della difesa antiaerea, mi hai dato la mano e mi hai seguita a casa con la docilità di una bambina stanca.

Da quel mattino in poi l'emergenza sono state le fughe e i gesti inconsulti. Ti lavavi le mani sul fornello del gas; se volevi mangiare la marmellata invece di aprire il barattolo lo rompevi e, come se niente fosse, inghiottivi anche i vetri; se per sicurezza ti chiudevo in una stanza, urlavi che bisognava correre al rifugio perché l'allarme era già suonato; quando sulla porta compariva Buck, forse per la sua remotissima somiglianza con un pastore tedesco, gridavi: «Arriva la Gestapo!» e con il volto solcato dalle lacrime correvi a nasconderti.

Da persona ostile ero diventata ormai un'estranea, non sapevi mai chi fossi. In quei mesi, per sopravvivere e farti sopravvivere, mi sono trasformata, come il genio di Aladino che tanto amavi, in un'infinità di persone diverse.

Il gioco è finito in una ventosa mattina di dicembre. Tornando dalla spesa, ti ho trovata distesa in giardino, avevi addosso la camicia da notte, i piedi nudi sporchi di terra e Buck che uggiolava al tuo fianco. Inseguita da qualcuno dei tuoi fantasmi eri uscita di corsa da casa e, inciampando probabilmente in qualche radice, avevi battuto la testa contro un albero. Stavi supina, con un braccio in avanti come se stessi nuotando nell'erba, e sorridevi. Un rivolo di sangue ti solcava la fronte e finalmente gli occhi sotto le palpebre erano fermi.

5.

Non sei morta quel mattino ma tre giorni dopo, in una corsia di ospedale.

L'angelo della morte con la sua spada infuocata è sceso prima dell'alba, mentre io a casa mi rigiravo inquieta nel mio letto. Buck deve averlo sentito perché, al mattino, non l'ho trovato ad aspettarmi come sempre in giardino; spariva spesso, dunque non mi sono allarmata più di tanto, ma nel pomeriggio ho ricevuto una telefonata da qualcuno che aveva letto il numero sulla medaglietta: era stato travolto da un'auto poco lontano dall'ospedale, correva forse lì per salutarti o per approfittare di un unico viaggio verso l'oltretomba. Il suo corpo, mi hanno comunicato, era già stato portato all'inceneritore.

Alla sepoltura del tuo corpo c'erano soltanto quattro o cinque persone: i vicini di casa e un paio di vecchie amiche ancora in grado di reggersi in piedi. Il prete ha parlato come il proprietario di una concessionaria d'auto, parole consuete e vagamente annoiate per magnificare la bontà del prodotto.

Mancavano pochi giorni alla fine dell'anno; all'uscita dal cimitero siamo stati salutati da una raffica di botti.

Sull'autobus una comitiva di ragazzi schiamazzava

allegra, dovevano avere già bevuto parecchio, uno di loro aveva in testa un cappello da babbo natale, un altro la maschera di un morto vivente.

Tornata a casa non ho fatto altro che dormire. Ho dormito per tre quattro giorni di un sonno pesante, privo di sogni. La casa era fredda, le raffiche improvvise facevano sbattere gli scuri con violenza, ogni tanto quel rumore secco e violento mi svegliava di soprassalto, come uno sparo.

Quando ho ripreso a muovermi il grande assente quotidiano non eri tu, ma Buck: continuavo a parlargli, a cercarlo, a tenergli da parte gli avanzi; la tentazione di andare al canile a scegliere un altro cane è stata grande, ma poi sono stata inghiottita dal numero infinito di pratiche che richiede la fine di una vita.

Non riuscivo a provare ancora dolore per il tuo non esserci. Le stanze erano vuote, immerse nel silenzio come un teatro al termine della recita, non c'erano più scalpiccii né passi né colpi di tosse.

La parte di me che avrebbe dovuto abbandonarsi al lutto si era esaurita prima del tempo, bruciata dall'esasperazione e dalla violenza di quel tuo rapidissimo degrado; avevo accolto la tua scomparsa con sollievo: finalmente avevi smesso di soffrire.

Solo il tempo, un giorno, avrebbe permesso di far riemergere dalla mia memoria la persona importante che, per me, eri stata.

Una volta terminati tutti i compiti burocratici, non sapevo cosa fare, la tua malattia aveva prosciugato ogni mia energia, non riuscivo a sentire dolore, solo un grande smarrimento.

Chi sei? mi chiedevo, cosa farai da grande?

Non ne avevo la minima idea.

Per tutto il mese di gennaio la bora ha soffiato con straordinaria intensità, un paio di volte è caduta anche la neve, i caprioli si sono spinti fino al giardino per cercare germogli.

Me ne stavo rannicchiata in poltrona davanti al fuoco con i nostri libri accanto (ormai coperti di polvere) e sentivo ancora la tua voce raccontarmi la storia dei tre porcellini. *Soffierò, soffierò e distruggerò ogni cosa, ruggiva il lupo sotto le porte.*

«Da noi è impossibile che entri» dicevi poi per rassicurarmi «questa casa è solida, di mattoni, non è stata edificata sulla sabbia, ma sulla dura roccia del Carso.»

Le fondamenta e le radici, aggiungevi poi, sono un po' la stessa cosa, permettono di stare saldi e non cedere alla violenza del vento. Per dare stabilità a una casa bisogna scavare e scavare, proprio come fanno le radici degli alberi, anno dopo anno, nell'oscurità della terra. In America invece, aggiungevi, posano le case al suolo come fossero tende, per questo basta il soffio di un lupo per sradicare intere città.

Sola nel silenzio della casa non ero più così sicura delle tue parole, avevo l'impressione che il vento sibilasse tra gli stipiti ripetendo *è finita, finiiiitaaaa*, come da bambina mi sussurrava il vortice della lavatrice: *tutto è inutile, tutto verrà distrutto.*

Nel cuore della notte la porta d'ingresso gemeva sotto i colpi della bora, sembravano davvero i calci di qualcuno che là fuori gridasse: *Gestapo!*

Di giorno, invece di difendermi dal vento, uscivo ad affrontarlo, correvo incontro alle sue raffiche come Don Chisciotte con i suoi mulini a vento. *Uccidimi, purificami, rapiscimi, portami lontano, via da qui, strappami dalla mia vita*, ripetevo nel mio cuore senza sosta.

Dormivo poco, mangiavo ancora meno, non vedevo nessuno, non avevo progetti, mi sentivo come un pugile solo in mezzo al ring. Per anni mi ero riscaldata, avevo allenato i jab e gli uppercut, saltato la corda per prepararmi allo scontro finale e a un tratto l'avversario, senza nessun preavviso, aveva abbandonato il match. Continuavo a saltellare, certo, ma l'unico nemico che avevo davanti era la mia ombra.

Senza occasioni di contrasto, la mia vita era come un sacchetto vuoto in balìa del vento, si muoveva non per sua volontà ma seguendo i capricci delle raffiche.

Non avevo mai pensato al mio futuro.

Da bambina c'era stato qualche fragile sogno: fare il capostazione (con la paletta in mano e il cappello rosso) o il capitano di una nave, l'acrobata in un circo o l'addestratore di cani, ma erano sogni appunto, senza alcun legame pratico con la realtà; dall'adolescenza in poi non ho avuto che un unico compito: quello di attaccarti. Ora che, con mossa geniale, avevi abbandonato il campo, camminavo per la casa come il cane di Pavlov, tiravo la catena e digrignavo i denti, ma il campanello tanto atteso non suonava mai.

Che senso avevano i miei giorni, ora che ero sola al mondo? che senso anche quando c'eri tu? e quale era in generale il significato dei giorni di tutti gli esseri umani? per quale ragione le persone ripetevano sempre gli stessi gesti, per abitudine, per noia, per incapacità di immaginare qualcosa di diverso, di farsi domande? O forse per paura, perché è più facile seguire il sentiero già tracciato.

Spingendo il carrello al supermercato, guardavo le facce biancastre sotto il neon e mi interrogavo: quale vita ha senso? e qual è il senso della vita? mangiare? sopravvivere? riprodursi? Lo fanno anche gli animali. E allora perché noi camminiamo su due zampe e usiamo le mani? perché scriviamo poesie, dipingiamo quadri, componiamo sinfonie? soltanto per dire che la pancia è piena e abbiamo copulato abbastanza da garantirci la discendenza?

Nessun essere umano desidera venire al mondo. Un bel giorno senza esser stati interpellati ci troviamo buttati sul palcoscenico, alcuni di noi ottengono la parte del protagonista, altri sono semplici comparse, altri ancora escono di scena prima della fine dell'atto o preferiscono scendere e godersi lo spettacolo dalla platea – ridere, piangere o annoiarsi, secondo il programma del giorno.

Malgrado questa palese violenza, una volta nato, nessuno vuole andarsene. Mi sembrava un paradosso: non chiedo di venire al mondo ma, una volta qui, non voglio più andarmene. Qual è allora il senso della responsabilità individuale? sono io che scelgo o vengo scelto?

Il vero atto di volontà – quello che differenzia l'uomo dagli animali – è dunque il decidere quando andarsene? Non scelgo di venire al mondo, ma posso scegliere quando dire addio: non era mia volontà scendere ma lo è il salire.

Ma scendere e salire dove? C'è un sotto e un sopra? O soltanto un assoluto vuoto pneumatico?

Dopo la tua morte, l'immagine che mi tornava alla mente, riguardo alla casa, era quella di una conchiglia. Quando non avevo ancora sei anni me ne avevi comprata una da un vecchio pescatore di Grado. Ricordo ancora la tua voce mentre mi dicevi appoggiandomela all'orecchio: «Senti? c'è il rumore del mare...».

Per un po' ero rimasta in ascolto poi a un tratto ero scoppiata in uno di quei pianti assoluti e irrefrenabili che ti spaventavano e irritavano allo stesso tempo.

«Perché? Cosa c'è?» mi ripetevi.

Non riuscivo a risponderti, non potevo dirti che là dentro non c'era il mare ma il gemito dei morti, era la loro voce quell'insolito soffio, si riversava nelle nostre orecchie con tutta la violenza dell'inespresso, da lì andava al cuore e lo schiacciava fino a farlo esplodere. Un tempo, quella conchiglia aveva ospitato un gasteropodo (così come, per molti decenni, la casa sull'altipiano era stata il guscio protettivo della nostra famiglia) poi qualche granchio o stella di mare l'aveva divorato lasciando vuoto l'involucro di carbonato di calcio: l'acqua, insinuandosi al suo interno, l'aveva levigato fino a renderlo lucido come madreperla e adesso, nelle sue curve specchiate, rimbombava quel suono senza pace.

Anche gli abitanti della nostra casa avevano subìto la stessa sorte: erano tutti morti e il vento era passato a levigare ogni loro ricordo. Mi aggiravo, sola, tra le curve a spirale e mi pareva a tratti di perdermi in un labirinto. Altre volte, invece, capivo che solo là dentro, soltanto cercando, scavando e ascoltando avrei potuto raggiungere un punto fermo con me stessa.

Anche il vento era una voce, trasportava i sospiri dei morti, i loro passi e le cose che tra loro non erano state dette.

Stando lì sola, in quella casa dalle pareti sempre più lisce, sempre più trasparenti, ho cominciato a pensare a quella giovane donna della foto, avvolta in una nube di fumo. Cercavo di ricordarmi il tono della sua voce o il calore della sua mano, qualcosa che ci avesse potuto unire prima della sua sparizione.

Avrei voluto sapere tutto di lei ma ormai non avevo più nessuno a cui fare domande.

Com'era, chi era, che gusti aveva e – cosa che forse mi premeva più di tutte – perché mi aveva messo al mondo?

Ho cominciato a chiamarla vagando tra le stanze vuote.

Mi vergognavo di pronunciare quel nome, mi sembrava una specie di tradimento nei tuoi confronti: fino a quel giorno avevo ripetuto "nonna" ed ora, a un tratto, volevo dire soltanto "mamma".

Genealogie

I.

Chi sono i nostri genitori, cosa c'è dietro a quei volti che ci hanno generato? Tra miliardi di persone, soltanto due, tra centinaia di migliaia di spermatozoi solo uno. Prima di essere figli di nostra madre e di nostro padre, siamo il risultato di miliardi di combinazioni e di scelte – fatte e non fatte – riguardo alle quali nessuno è in grado di fare luce. Per quale ragione quello spermatozoo e non quello un po' più a destra? perché soltanto quello contiene le caratteristiche che danno vita alla persona di cui si sente il bisogno? Quel nascituro può essere Leonardo o un idraulico o anche un efferato assassino.

E se veramente tutto è già predisposto come nel menù di un ristorante, se Leonardo deve diventare Leonardo e nient'altro e la stessa cosa succede all'assassino e all'idraulico, che senso ha tutto il nostro esistere? Siamo fatti soltanto davvero di pezzi di una scatola di montaggio: su ogni scatola, una cifra che determina il progetto?

Forse, lassù nel cielo, qualcuno – come una casalinga operosa – decide: oggi quattrocento idraulici, un'ottantina di assassini e quarantadue scienziati.

Oppure il cielo è vuoto, come dicono in tanti, e le cose vanno avanti per una sorta di moto perpetuo: la materia ha iniziato ad aggregarsi in un tempo remoto ed ora non è più capace di fermarsi, genera forme sempre più complesse. Ed è proprio questa complessità che ha dato il via alla grande finzione, quella che vuole farci credere in qualcuno che sta sopra.

Perché due persone, che magari fino a poche ore prima non si conoscevano, per un evento che non dura più di pochi minuti diventano i nostri genitori? È questo il nostro destino, essere metà dell'uno e metà dell'altro, anche se il caso ci manda magari in adozione all'altro lato del mondo?

Noi siamo comunque parte di loro.

Loro e i loro genitori e i genitori dei loro genitori e ancora più su, fino a coprire le fronde dell'intero albero genealogico – la passione per gli insetti del nonno, l'amore per il canto della bisnonna, il gusto degli affari del trisavolo, l'alcolismo dell'altro nonno, la volontà di mandare tutto in rovina dei vari cugini, l'istinto suicida di un paio di zii, l'ossessione per lo spiritismo di una prozia – tutto sta racchiuso dentro di noi come in una bomba ad orologeria: non siamo noi a regolare il timer, è stato regolato dall'inizio, a nostra insaputa. L'unica saggezza è essere consapevoli che in noi – da un momento all'altro – può deflagrare qualcosa di incontrollato.

Così un uomo e una donna – tra miliardi di loro simili – ad un certo punto della loro vita si incontrano e, dopo un tempo variabile che va dai pochi minuti alla decina d'anni, si replicano in un'altra forma di vita.

All'origine di questo accoppiamento ci sarebbe, secondo gli studi più avanzati, ancora una volta l'olfatto, come nel caso degli uccelli migratori.

A naso, infatti, un essere umano capisce che i gameti della persona che gli sta di fronte devono unirsi ai suoi. Non c'è un perché né un forse ma soltanto la legge della vita che esige (pare) che la qualità biologica predomini su ogni altra cosa.

È il naso dunque a suggerire la copula, perché questo straordinario organo (sano retaggio dei nostri antenati) non sbaglia mai mira, il suo tempo è l'imperativo: fai questo, fai quello, solo così la tua discendenza brillerà a lungo, come una stella.

Il naso o il caso?

La specie migliore o la fragilità degli esseri umani, con il loro inesauribile ed inspiegabile bisogno d'amore?

L'unica immagine che ho di mio padre da giovane – di quello che poi ho scoperto essere mio padre – è in una foto di gruppo. È in piedi accanto a mia madre, hanno un bicchiere in mano come se stessero brindando – una riunione o una festa, non si capisce – lei lo guarda da sotto in su con la stessa devozione di un cane che osserva il padrone, il fumo della sua sigaretta si mescola con altro fumo che aleggia nella stanza. Dietro, a matita, una data, *marzo 1970*.

La foto era mischiata a molte altre di famiglia in una grande valigia di cartone sepolta sotto un paio di tappeti in soffitta. Ho trovato anche molte lettere, alcune legate tra loro con nastrini di colore diverso, altre gettate confusamente in sacchetti di plastica, accanto a cartoline da Salsomaggiore, da Cortina, dalle Piramidi, da Porretta Terme, biglietti di treno, ingressi di musei, cartoncini di partecipazioni a matrimoni e nascite, messaggi di condoglianze e, sul fondo, quattro o cinque quaderni e agende che – a giudicare dalle copertine – appartenevano ad epoche diverse.

Avevi inoltre conservato, per motivi che tu sola potevi decifrare, due scatole di spilli (da balia e da sarta,

con la capocchia colorata), una forbice rotta, una vecchia scatola di caramelle in cui erano raccolti bottoni
di ogni forma e dimensione, una gomma per cancellare, un tubetto di colla ormai secco, una scatola di
fiammiferi svedesi, un dépliant della Società Latinisti
Dilettanti, un orario dei treni del dopoguerra, qualche
ritaglio di ricette di cucina e una Bibbia a cui il tempo,
o i topi, avevano tolto la copertina.

A giudicare dalla polvere, quella valigia non veniva
aperta da anni, tu certo non ti eri più avventurata lassù da tempo ed io non ci avevo mai neppure pensato.
Il desiderio di voltarsi indietro ed esplorare il passato
viene soltanto quando la vita, all'improvviso, cambia
per qualcosa di imprevisto o di atroce: una malattia,
un vuoto; allora si prende la scala e il coraggio, c'è bisogno di entrambi per salire tra la polvere e aprire la
valigia: lì dentro ci sono – compresse – parole non
dette, azioni non fatte, persone non conosciute, basta
un impatto minimo per scatenare i fantasmi.

Non è stato il fantasma di mio padre il primo a venirmi incontro (comunque allora non sarei stata in
grado di riconoscerlo) ma quello di mia madre. L'ho
visto all'improvviso, era nascosto tra un diario, un
pacco di lettere e qualche foto sparsa.

Ho preso tutto in mano, con molta cautela, e sono
scesa in salotto; non volevo restare lassù, nel loro territorio, mi sentivo troppo vulnerabile. Per fingere di
non essere sola, ho acceso il televisore e mi sono seduta in poltrona.

Il diario era in cartone di Firenze, a piccoli gigli.
Nella prima pagina, qualcuno con un pennarello rosso aveva scritto a caratteri cubitali RIBELLIONE – sot-
tolineando tre volte – con l'aggiunta finale di un numero imprecisato di punti esclamativi.

14 settembre '69
Esaltazione della Santa Croce.

Cosa ci sarà mai di esaltante in una croce? Bah! L'u-nica cosa esaltante di questo giorno è che è il mio pri-mo di libertà! Via dai miasmi di Trieste, via dalla pri-gionia della famiglia.

Non è stato facile imporre la mia scelta. Le stesse fa-coltà ci sono anche a Trieste, perché affrontare le spese di un trasferimento in un'altra città?

La mummia comunque ha ceduto prima di quanto credessi, la parola magica è stata "autonomia": "Voglio mettere alla prova la mia autonomia!". Si è illumina-ta. Se è per questo, ha detto, sono d'accordo. Avrei po-tuto dirle che me ne sarei andata comunque. Sono fi-nalmente maggiorenne e faccio quel cavolo che mi pa-re. Ho già perso due anni per le loro chiusure mentali.

A luglio sono venuta qui e ho subito trovato la casa, rispondendo agli annunci della bacheca. È un vero bu-co, lo condivido con Tiziana che viene dal Comelico e studia medicina.

A casa comunque ci sto poco, mi sento come un cane che dopo molti anni è riuscito a saltare il recinto, vado sempre in giro annusando l'aria, con gli occhi aperti per la meraviglia, con la voglia di provare tutto, tutto capire.

21 settembre

Fatta la spesa – deve bastare per una settimana!

27 settembre

Metà di quello che avevo comprato è scomparso dal frigo. Interrogata T. che nega tutto. Evitato di litigare.

2 ottobre

Telefonata della m. Quando suona il telefono sto ancora dormendo. Dice che la bora soffia fortissima e che in giardino ha spezzato il tronco di un albero. "E a me che me ne importa?" le rispondo e metto giù. So benissimo che è soltanto un sistema per controllarmi.

13 ottobre

Prima lezione. L'aula è molto affollata, arrivo tardi e mi tocca restare in piedi. Il professore è vecchio e ha fama di essere un fascista. Mentre parla c'è un'aria tesa, da una parte all'altra volano palline di carta. Quando, alla fine, illustra il programma del corso, un gruppetto si alza in piedi e comincia a fischiarlo seguito da una gran parte dei presenti. Lui esce stizzito a grandi passi accompagnato da un coro di risate.

15 ottobre

T. non fa mai la spesa, aspetta che la faccia io per vivere da parassita. È una spilorcia e un giorno o l'altro glielo dico.

30 ottobre

Chiama la m., sempre all'alba, deve essere convinta che la vita degli studenti somiglia a quella dei contadini. "C'è il ponte di san Giusto" ha detto "perché non vieni?" Sono stata magnanima, ho risposto: "Perché devo studiare" poi mi sono girata dall'altra parte e ho ripreso a dormire.

4 novembre

Oggi, svegliandomi, ho pensato ai giorni che stiamo vivendo. Incredibili. Tutto cambia a una velocità pazzesca, non c'è più spazio per l'ipocrisia, per il conformismo, per l'ingiustizia, è come se tutti noi avessimo all'improvviso aperto gli occhi e capito che non si può più andare avanti così. Basta con le finzioni! Basta con lo schiavismo! Il padrone non può più sfruttare l'operaio! Il maschio non può più sfruttare la donna! La religione non può più opprimere gli uomini.

Libertà è il "verbo" per i tempi a venire. Libertà per i lavoratori, libertà per le donne, libertà per i bambini, anche loro non devono più essere ingabbiati nella rigidità ottusa dell'educazione. Non bisogna tarpare loro le ali, solo dalla spontaneità e dalla libertà può nascere un mondo diverso e saremo noi – proprio noi – i protagonisti di questo rivoluzionario cambiamento!

18 novembre

Iniziato il corso di filosofia del linguaggio. Lo tiene un assistente, ha appena qualche capello bianco ma ciò lo rende ancora più affascinante. È l'unico professore con la barba. Tutti lo ascoltano con attenzione. Uscendo dall'aula ho detto a C., la mia nuova compagna di studi: "Niente male il professor Ancona". Ha sorriso in modo un po' furbo: "Credi di essere l'unica ad essertene accorta?".

2 dicembre

C. è riuscita a trascinarmi a un collettivo di autoco-
scienza. All'inizio mi sentivo un po' in imbarazzo, tut-
te parlavano del proprio corpo.

Secondo loro era solo grazie alla disintegrazione del-
l'atavico senso di colpa che finalmente avevano impa-
rato a conoscerlo, come a riconoscere l'inaudita violen-
za che era stata fatta al loro immaginario, con la costri-
zione infantile di dover giocare solo con le bambole e
le pentoline.

"Il preludio della schiavitù!" ha gridato una di loro,
e tutte hanno applaudito.

Si avvicinava il mio turno e non sapevo cosa dire,
poi come in un flash mi è venuto in mente un episodio
con mio padre: avrò avuto sei o sette anni e, dopo man-
giato, camminando con estrema attenzione, gli avevo
portato il caffè in salotto. "Che brava donnina di ca-
sa!" aveva commentato, sorridendomi.

Ora mi era chiaro, avevo vissuto con quel marchio
dentro, quel peso, quel timbro di destinazione. E se
avessi voluto fare il neurochirurgo o andare nello spa-
zio? Le mie parole avevano suscitato attenzione e con-
sensi. Al diavolo le brave donnine e tutti i tarpatori di
ali! Uscendo dalla riunione ho avuto l'impressione di
essere diventata più leggera.

27 dicembre

Per non trasformare la guerriglia in guerra mi è toc-
cato trascorrere il Natale a casa. C'era la solita accolita
di amiche vedove, di donne depresse, di lontani paren-
ti che non sanno con chi trascorrere la vigilia, così al-

meno stiamo tutti insieme e poi ci sentiamo tutti tanto buoni.

La m. come al solito faceva la vittima, ripetendo che aveva dovuto cucinare per due giorni interi e sperava di ricevere in cambio applausi e grida di giubilo e così è stato, come da copione: la commedia va recitata fino in fondo, senza mai cambiare battute. "È stata una serata davvero bellissima, grazie cara" bacio bacio "ma figurati, è stato il minimo" e avanti così in un minuetto stucchevole.

Stucchevole era anche l'albero con tutti i suoi fili d'argento e ancora più stucchevole il presepio, la rappresentazione massima del lavaggio del cervello universale, la sacra famiglia che da duemila anni castra le famiglie normali, quelle che di sacro non hanno niente, ma comunque fanno finta, bevono calici di puro veleno e vanno avanti sorridendo.

La sera comunque, nel letto, ho pensato che in fondo la Madonna è l'emblema della donna dei tempi andati, la più sfruttata, perché ha avuto un figlio senza neanche godersi il rapporto, le è bastato guardare lo Spirito Santo negli occhi per restare fregata e da quasi due millenni si trascina con quella espressione imbambolata.

Così, al mattino, prima di partire, le ho fatto un piacere e nel presepe, al suo posto, vicino a san Giuseppe ho lasciato un bigliettino con sopra scritto "arrangiati" poi ho preso la statuina e l'ho portata con me a prendere un po' d'aria.

Prima di salire sull'autobus, l'ho depositata sul muretto dietro la fermata. Speriamo che qualcuno se la prenda e la porti un po' in giro, a rifarsi del tempo perduto.

31 dicembre

Visto che T. è rimasta nella sua valle innevata, per stasera ho organizzato una grande festa. Mentre facevo la spesa ho incontrato il professor A.; nel vederlo, il cuore ha fatto un salto. Avrei voluto salutarlo ma la timidezza mi ha sopraffatta, probabilmente mi avrebbe guardata esterrefatto, non può mica ricordarsi di tutti i suoi studenti!

Mentre mi allontanavo con il carrello ho avuto la sensazione che mi guardasse. Ha occhi scuri come il carbone e quando parla sembra che lampeggino. Per questo, forse, ho sentito un gran caldo proprio in mezzo alle scapole.

Addio anno vecchio, ti saluteremo avvolti nel grande fumo del calumet della pace.

Con la fine di quell'anno, ho chiuso il diario.

Da qualche parte fuori suonava l'allarme di un'auto, il video trasmetteva un talk show, tutti parlavano e parlavano con le facce vuote. Le lenzuola nel letto erano straordinariamente fredde, per quanto mi rannicchiassi non riuscivo a scaldarmi, dagli scuri accostati la luna d'aprile tagliava in due il pavimento e la scrivania fino a posarsi sulla foto di Ilaria.

Tra tutte le cose che avevo immaginato, sognato, ipotizzato su mia madre, non mi era mai venuta in mente la cosa più semplice: il suo essere soltanto una ragazza.

Il mattino dopo alle nove ero già in salotto. Prima di tornare al diario, ho disposto davanti a me le foto come se fossero le carte di un solitario: lei da sola, lei

con le amiche, le foto fatte da lei, le foto con rappre-
sentanti dell'altro sesso, queste però erano una mino-
ranza e si trattava per lo più di foto di gruppo.

Tra tutte, ce n'era una scattata in una cabina au-
tomatica, doveva essere inverno perché aveva la
sciarpa e un berretto di lana, accanto a lei una presenza maschile, il volto era coperto da una mano e
tra le dita aperte si intravedevano appena gli occhi
e i fili della barba. Era carnevale? stavano giocan-
do? cosa significava quella mano spalancata? una
negazione? una barriera? Forse era sposato e non
voleva compromettersi o semplicemente non voleva
far sapere che intratteneva relazioni con le sue stu-
dentesse.

Ho confrontato quella foto con un'altra, quella del
brindisi di gruppo: oltre all'uomo con la barba, accanto a mia madre ce n'era un altro più mingherlino
con la faccia coperta di brufoli; un po' più a destra,
accosciato come un calciatore sotto un paio di amiche – Carla? Tiziana? – un tipo dall'aria slavata, occhi sporgenti azzurri e una sciarpa rossa troppo stretta intorno al collo.

Potevo essere figlia di questo? o del butterato? In
realtà l'unico con la barba era l'uomo alle sue spalle:
ho confrontato le sue mani con le mie, i suoi occhi
con i miei e ho ricominciato a leggere.

Andavo avanti nelle pagine con molta cautela, come un guidatore che, prima di imboccare una strada,
ha notato il segnale di pericolo – pericolo valanghe,
pericolo crolli, pericolo precipizi – ma non si è fermato, ha continuato con il piede sul freno, la mano
pronta a scalare le marce, il cuore in gola, perché
quella era l'unica strada al mondo che voleva percor-
rere fino in fondo.

6 gennaio

La befana, vecchia strega, mi ha portato un regalo. Trascinata controvoglia a una festa di gente che non conoscevo ho incontrato il professor A.

Appena l'ho visto ho fatto finta di niente, o almeno ho tentato perché le mie guance sono diventate di colpo incandescenti così mi sono girata verso una parete e ho cominciato a chiacchierare con una che avevo appena intravisto a un collettivo femminista, pensando a come abbordarlo.

Non ce n'è stato bisogno perché è stato lui a venirmi vicino.

"Ho l'impressione che ci siamo già incontrati" ha detto fissandomi negli occhi, mentre beveva con lentezza un sorso di vino bianco.

Credo che la mia voce sia uscita di colpo troppo stridula: "Sì, al supermercato!" (che stupida!) poi, per fortuna ho aggiunto: "Sono una sua allieva".

Allora ha infilato il suo braccio sotto il mio.

"Ti interessa la filosofia?"

"Moltissimo."

Alla fine della festa siamo usciti a passeggiare sotto i portici, camminando abbiamo raggiunto le rogge. Saliva la nebbia e, nel silenzio della città addormentata, si sentiva soltanto il fruscio dell'acqua e quello dei nostri due respiri. Mentre attraversavamo la piazza della basilica del Santo – il suo braccio praticamente avvinghiato al mio fianco – a oriente il sole ha cominciato a salire illuminando le facciate e i tetti.

"Vedi" ha detto allora "la filosofia e il sole si assomigliano, entrambi devono cacciare la notte – la notte fisica e la notte della mente – quella che fa vivere l'uomo annegato in un oceano di superstizione."

Ci siamo lasciati sotto il mio portone.
"Ci rivedremo?" ho chiesto.
Lui mi ha salutata misterioso con la mano aperta.

11 gennaio

Purtroppo ho ripreso a mangiarmi le unghie. Ho cercato il suo nome sulla guida telefonica ma non c'è nessun Massimo Ancona. Non posso chiamarlo e non so dove abita. Non mi resta che aspettare...

15 gennaio

Per prendere posto in prima fila sono arrivata in aula un'ora prima, ma non mi ha mai guardato, anche se ero proprio di fronte a lui. Forse non voleva distrarsi, non voleva scoprirsi davanti agli altri.
L'ho aspettato all'uscita, ma una tipa rossa è stata più svelta di me, si sono allontanati insieme nel corridoio parlando come se si conoscessero da tempo. Una sua laureanda probabilmente...

25 gennaio

Altre due lezioni buche, sto pensando di impazzire. Passeggio spesso vicino a quel supermercato nella speranza di incontrarlo. Niente.

28 gennaio

Feste di carnevale su feste di carnevale ma non mi diverto per niente. Le ragazze del collettivo si sono vestite da streghe, io invece avrei voluto vestirmi da scheletro perché è così che mi sento senza di lui, senza il suo sguardo, morta. Vado alle feste solo per la speranza di incontrarlo. Lui non c'è e finisce che mi attacco al fumo. Almeno il tempo passa più rapidamente...

30 gennaio

Vorrei interrompere la lezione gridandogli in faccia: perché non mi guardi più?! Ho sognato questa notte di farlo, al mattino avevo la mandibola rigida come l'acciaio. Sfogata con C. Lei dice che si tratta solo di paura, intuisce che tra noi il sentimento è troppo grande, troppo importante e per questo ha paura di andare avanti. Credo che abbia ragione.

Perché fuggire visto che ancora non è successo niente tra di noi? C. mi ha consigliato di fare il primo passo. I tempi sono cambiati, non è più possibile fare le belle statuine e lamentarsi.

2 febbraio

Riuscita finalmente a lasciare un bigliettino nel suo cassetto della sala professori. Dopo aver a lungo riflettuto ho scritto: la luce dell'intelletto scaccia le tenebre della superstizione, tutte le notti sono libera per aspettare insieme l'alba. *Poi, per sicurezza, ho scritto, sotto, il nome e l'indirizzo.*

6 febbraio

Ero confusa tra la folla dell'aula e credo che lui con lo sguardo abbia cominciato a cercarmi. Ho sorriso e mi sembra che anche lui l'abbia fatto.

12 febbraio

Illusione, illusione illusione... Forse addirittura tornare a Trieste, chiudere tutto e ricominciare da un'altra parte o annegare in nuvole di fumo...

15 febbraio

C. ha portato delle pasticche, dice che potremmo fare un bellissimo viaggio, un viaggio nelle terre fatate, nei mondi che nessun altro è in grado di vedere. Le ho detto che in questo momento avevo il desiderio di un viaggio soltanto, quello tra le braccia di Massimo...

2 marzo

È successo! È successo! È successo! L'effetto magico della primavera? Chissà?! E chi se ne frega! L'importante è che sia accaduto.

Ed io che mi facevo tanti problemi! Ha suonato che ero già a letto, gli ho aperto in pigiama (un pigiama con degli orsacchiotti, altro che femme fatale!) Ho balbettato: "Mi dispiace, non sono...", le sue mani calde mi hanno sfiorato le guance: "Sei bellissima anche così".

15 aprile

*Forse sono nata soltanto per vivere questi giorni.
Con lui vicino, tutto cambia, mi sento un gigante, nella
mia mente non ci sono più paure, conformismi, il mio
corpo non ha più limiti. Massimo non teme le barriere,
anzi le va a cercare apposta per poterle distruggere.*

*Per Pasqua a casa due giorni, è come approdare in
un altro pianeta.*

La m. dice: "Finalmente hai una bella cera!".

*La cera! L'unica cosa che interessa i miei genitori.
La cera, la maschera di cera dei morti.*

*Se lei fosse un'altra, potrei anche raccontarle quello
che sto vivendo, ma cosa si può raccontare a una so-
gliola che ha sempre vissuto nel freezer? Ogni tanto li
guardo, osservo i miei genitori chiusi nel vuoto pneumatico che li avvolge: non hanno niente da dirsi, non
provano niente l'una per l'altro, mi domando persino
come siano riusciti a concepirmi, se davvero sono figlia
loro. Assomiglio? non assomiglio?*

*Forse lui è impotente, magari mi hanno adottata e
non hanno il coraggio di dirmelo, ma alla fine, che importanza ha? L'importante è che la mia sia una vita libera, senza costrizioni, senza ipocrisia.*

*Quando li ho salutati, per la prima volta mi hanno
fatto quasi pena, povere mummie incartapecorite con
le bende che gli si srotolano di dosso.*

1° maggio

*Non vado alla manifestazione perché mi gira la te-
sta. C. dice che dovrei fare le analisi. In ogni caso, secondo lei, non mi devo preoccupare, perché liberarsene*

è facilissimo. Ci pensano le ragazze del collettivo e non spendi una lira. Dice però che non devo aspettare troppo, altrimenti, poi mi tocca andare a Londra e tutto si complica. Mi sento strana, sospesa, senza parole. Non avevo mai pensato ad un'eventualità del genere.

3 maggio

Positivo.

Mi alzo di scatto, le foto e i fogli cadono a terra. Infilo la giacca a vento ed esco, percorro a grandi passi tutto il crinale del Carso.

Sotto, il mare luccica come uno specchio, alle spalle il Nanos è ancora coperto di neve.

Positivo.

Non potevo essere io, gli anni non coincidevano. Che fine aveva fatto quel mio fratello?

Il giorno dopo la temperatura è mite e già dall'alba tutti gli uccelli in coro cantano, producendo un vero frastuono.

Davanti al tepore dell'esterno, la casa sembra un antro buio, gelido, il diario è sempre lì sul tavolo, le lettere e le foto a terra, nella penombra della stanza sembrano emanare una luce giallastra.

Prendo una sdraio dal garage e la sistemo sul prato poco lontano dal grande susino ormai completamente coperto di fiori dai quali si sprigiona un delicato profumo che attira frotte di api e di bombi; il loro frenetico brusio mi fa compagnia.

È di questo che ho bisogno per andare avanti, sentire la vita, la luce, sentire che siamo compresi in un mondo più grande.

12 maggio

Non ho avuto il coraggio di andare a lezione, non ho avuto il coraggio di guardarlo negli occhi. I miei sentimenti cambiano ogni minuto, prima mi sembra di avere dentro di me un dolcissimo segreto – vorrei fare una lunga passeggiata romantica con lui e alla fine, magari davanti ad un bicchiere di vino, bisbigliargli: sai, aspettiamo un bambino, e guardare la sua reazione di stupore e di gioia – subito dopo invece diventa un peso tremendo, qualcosa che mi schiaccia, non mi lascia respirare.

Ho paura dell'impegno, della fatica, della responsabilità: volevo una vita senza limiti e barriere e subito mi rinchiudo nella gabbia claustrofobica della maternità. E poi, cosa dire a casa? Che aspetto un figlio da un uomo vent'anni più grande di me? Potrei inventarmi una balla, un viaggio romantico, un'avventura in Turchia, visto che Massimo fuma come un turco... Oppure potrei un giorno presentarmi a casa con lui e dire: papà, mamma, questo è l'uomo che amo e da cui aspetto un figlio e dentro di me pensare: noi non precipiteremo mai nel vostro squallore.

Forse anche lui non vede l'ora di presentarmi ai suoi. Ma è inutile che continui a fantasticare. Prima di ogni altra cosa lui deve sapere la notizia, il resto lo decideremo insieme. Anche perché ogni volta che incontro Carla mi chiede: e allora? Come a dire che devo sbrigarmi.

20 maggio

*Da due settimane non fa lezione. Ho chiesto un po'
in giro e pare che sia malato. Fatti i conti credo di essere al termine dei due mesi. Di dolcezza ce ne è sempre
meno, è la paura a farsi avanti, e la rabbia. È davvero
malato? o forse ha intuito qualcosa e vuole prendere
tempo? È da un mese che non si fa vivo. Magari sta
davvero malissimo e sono soltanto io, cattiva, a immaginare qualcosa di diverso.*

24 maggio

*Carla ha convocato una riunione straordinaria del
collettivo perché, "se le decisioni non si prendono insieme, che cavolo di sorellanza mai sarebbe?". All'inizio
mi sentivo un po' in imbarazzo, più che una riunione
mi sembrava un processo, ma poi l'atmosfera si è sciolta
e sono uscite un mucchio di belle cose. Per un po' ci sono stati due partiti, quello pro e quello contro, ma con
l'andare avanti della discussione le posizioni si sono
sciolte.
Il detonatore l'ha innescato P.
"Prima di tutto, per prendere una decisione bisognerebbe sapere se è un maschio o una femmina... non
vorremo mica mettere al mondo un altro nemico."
Qualcuna ha applaudito e altre no.
È stata B. a incalzare: "Invece proprio se è un maschio
è il caso di tenerlo, se non cominciamo noi a mettere al
mondo l'uomo nuovo chi altro mai dovrebbe farlo?".
Altri applausi e poi un coro: "Sì, lo faremo giocare
con le pentoline! Gli faremo accudire le bambole! Gli
insegneremo che l'aggressività non è necessaria, lo ve-*

stiremo di giallo o di verde, niente azzurro nelle case! Né principi né bambini!".

"E poi" ha concluso C. "dobbiamo sempre ricordarci della natura, la nostra maestra. Forse che le leonesse chiedono ai leoni: tesoro, lo vuoi questo cucciolo o no? No! Lo fanno e basta e lo allevano tutte insieme, come in una vera sorellanza. Femmine e cuccioli: è questa la legge che governa il mondo, tutto il resto sono chiacchiere. I maschi servono solo per pochi istanti, poi non sono più necessari." Una baraonda di approvazione è esplosa nella stanza.

A fatica, alzando la mano, sono riuscita a farmi sentire e ho detto la verità: "Compagne! Io... io non so cosa fare... non so se voglio tenerlo".

È sceso un grande silenzio.

"In un caso o nell'altro devi essere tu a decidere, il nostro compito, come sorelle, è solo quello di starti vicino. Se lo vuoi tenere, faremo come le leonesse, lo alleveremo insieme, se invece vuoi sbarazzartene, ci penseremo ancora noi, L. e G., hanno fatto un corso, sono diventate bravissime..."

Su questa frase la riunione ufficiale si è sciolta e finalmente dalle borse sono uscite le canne.

5 giugno

Sono andata in presidenza e ho chiesto notizie.

"Il professor Ancona riprenderà le lezioni soltanto l'anno prossimo" mi è stato comunicato.

Ho avuto la prontezza di dire che ero una sua laureanda e che avevo assoluta necessità di parlargli. Forse però sono arrossita perché la segretaria mi ha guardato in modo un po' sospetto.

"Non può consultarsi con il supplente?"
"Oh, no..."
"Allora gli scriva e consegni la lettera in segreteria."

Le pagine seguenti del diario erano tutte piene di frasi cancellate, probabilmente tentativi ripetuti di trovare le parole giuste. Ogni tanto, tra il pennarello e gli sgorbi blu, compariva qualche frammento, sembravano pesci sfuggiti alla rete. *Amore* guizzava da una parte, dall'altra *responsabilità. Cosa fare? tenere bamb.* e sotto, tre volte in stampatello e sottolineato più volte: *DISPERATA, DISPERATA, DISPERATA.*

Prima di scrivere la lettera doveva aver fatto molte brutte copie: in fondo lui era un professore di filosofia del linguaggio. Leggendo quei frammenti, ho avuto l'impressione che avesse il terrore di sbagliare le parole, ogni frase era scritta con estrema insicurezza, sembrava una persona che soffre di vertigini costretta a camminare sul ciglio di un burrone. Il precipizio era la scelta o meno di una vita.

Mentre lei partecipava alle riunioni, o correva ansiosa all'università, mentre fumava o probabilmente piangeva nel suo letto, nel suo corpo, quel mio fratello (o sorella) continuava a formarsi; con estrema sapienza e con un ritmo imperturbabile, le cellule si moltiplicavano e si disponevano per creare quello che, un giorno, sarebbe stato il suo volto; il bambino si sviluppava e lei era indecisa se farlo crescere o meno, il suo potere su di lui era totale. Leggendo quelle righe non riuscivo a provare nessun sentimento di ostilità, di disprezzo, l'unico istinto era quello di proteggerla, come se tutta quella disperazione, quella solitudine e quell'ingenuità derisa fossero finite direttamente nelle mie vene, trasformandosi in un senso di infinita pena.

Il sole di mezzogiorno era ormai insopportabilmente caldo, assordante il ronzio degli insetti tra i fiori; proprio quando stavo per chiudere il diario, un bombo, le zampe posteriori cariche di polline, è precipitato tra le pagine, con delicatezza l'ho aiutato a riprendere il volo.

Nel punto dell'impatto era rimasto un alone dorato, sotto c'era scritto:

Deciso.
Tra tre giorni a casa di B.
Tiziana, dall'alto dei suoi studi di medicina, ha detto: "Sei pazza, ti uccideranno".
Le ho risposto: "Forse sarebbe anche meglio".

Seguivano due pagine strappate, poi, con scrittura nervosa aveva annotato:

Sospesa tra il sollievo e lo stordimento, la notte dopo ho fatto un sogno. Non so bene dove mi trovavo, ricordo solo che a un certo punto mangiavo un pezzo di pane crudo che cominciava a lievitare nel mio stomaco. Tutti quelli che incontravo mi chiedevano: una dolce attesa? "No" rispondevo "è soltanto il lievito che continua a fare il suo lavoro" ma nel momento stesso in cui lo dicevo, non ero più così convinta di avere ragione.

Al risveglio mi sentivo strana, così ho telefonato a B. "Sei sicura che sia andato tutto bene?" Mi ha rassicurato: un intervento perfetto. "E poi, scusa" ha aggiunto "te l'ho fatto anche vedere nella bacinella, non ricordi?"

Mi sembrava vagamente offesa del fatto che avessi dubitato delle sue capacità così, per sdrammatizzare, ho scherzato: "E se avessi fatto come i guaritori filippini? Qualche fegatino di pollo e voilà, il problema è risolto". Abbiamo riso e le tensioni si sono sciolte.

Per un paio di giorni ho sentito il bisogno di allontanarmi dalle memorie di mia madre. Non potevo più rimanere in compagnia della pesantezza di quegli anni.

Per togliere le scorie, le ombre, per purificarmi ho camminato a lungo sull'altipiano.

Nascosti tra i cespugli, i merli e le capinere intrecciavano i loro canti d'amore, il verde tenero delle foglie spuntate da poco donava splendore al paesaggio circostante, mentre, sopra i prati disseminati di tarassachi, pratoline e crochi, ronzavano un'infinità di impollinatori indaffarati.

A volte mi sdraiavo nella profondità umida delle doline: da lì ammiravo la corona dei cespugli e degli alberi mentre in controluce i ragni salivano e scendevano lungo invisibili fili di seta e gli xilofagi, come gemme violette, solcavano pesantemente l'aria.

Altre volte, invece, sentivo la necessità di andare in alto, di raggiungere un punto da cui il mio sguardo potesse perdersi oltre l'orizzonte.

Camminando tra le doline e la sommità delle alture di confine pensavo a quel mio fratello – o a quella mia sorella – a cui non era stata data la possibilità di nascere. La sua esistenza avrebbe salvato mia madre o ne avrebbe accelerato la china distruttiva? Ci sarei stata io, mi chiedevo, se ci fosse stato anche lui? La sua fine era, in qualche modo, la possibilità del mio inizio?

Oltre alla nostra volontà, alle nostre fragilità, ai nostri piani comunque ristretti, c'è Qualcuno, qualcosa che governa il grande ciclo delle nascite? Perché ero nata io e non lui? L'aborto avrebbe potuto non riuscire, come, d'altra parte, mia madre avrebbe potuto perdermi, magari inciampando per le scale mentre mi aspettava.

Salivo e scendevo per i sentieri sassosi: al mio passaggio le bisce, sciogliendo al sole gli ultimi torpori del letargo, frusciavano tra i cespugli, saettavano le lucertole muraiole. Un serpente che nasce, mi dicevo, o un'arvicola, una cornacchia non possono differenziarsi in altro modo dai loro simili se non per l'abilità di restare il più possibile al mondo. Un animale (per quanto straordinariamente complesso) può solo assolvere, più o meno efficacemente, il progetto inscritto nel patrimonio genetico della sua specie, ma l'uomo? L'uomo non può forse modificare sempre il suo cammino? E non è forse questo baratro di potenzialità a lasciarci sgomenti, a suggerirci l'impotenza della nostra visione? Chi sarebbe stato mio fratello? E io, per quale ragione ero venuta al mondo? per diventare chi?

Da quelle lunghe passeggiate ho ritrovato la forza per continuare la mia ricerca. Una mattina mi sono svegliata con il ticchettio della pioggia contro le finestre: nella notte era salita la bora scura, la temperatura si era abbassata e il vento soffiava piuttosto forte ammantando il giardino di una luce autunnale: solo la gran quantità di petali bianchi sparsi sotto il susino e il ciliegio ricordava la primavera in corso.

Dopo aver fatto colazione, con lentezza sono tornata in soffitta. Una vecchia tenda a fiori copriva una pila di scatole e scatoloni, alcuni dovevano aver contenuto liquori e cioccolatini, altri erano soltanto anonimi contenitori di cartone chiusi con nastro da pacchi. Ne ho aperto uno, aiutandomi con il temperino: al suo interno c'erano gli addobbi natalizi, ho srotolato diversi metri di nastro argentato prima di trovare il presepe; la capanna non era antica né particolarmente bella: due pareti di sughero e una scala che portava a una specie di fienile sotto il tetto. Dentro, zampe all'aria, giacevano il bue e l'asinello e, di traverso, san Giuseppe e la Madonna; un altro sacchetto conteneva la mangiatoia, le pecore e gli agnelli. Ho ritrovato la mia statuetta preferita: una vecchia pecora di gesso con una zampa rotta e un fiocchetto rosso intorno al collo. Era lei che nascondevo ogni vigilia di Natale per la casa; era quella la pecorella smarrita che, belando in giro per le stanze, ti costringevo a cercare.

Di Gesù bambino non c'era traccia, doveva essere finito in fondo alla scatola oppure era rimasto in qualche tasca nel periodo dell'Avvento. Nel contenitore accanto baluginavano le poche palle di vetro sopravvissute a decenni di Natali e un puntale forato.

Le casse sottostanti racchiudevano le varie collezioni di coleotteri del nonno: piccole bacheche di vetro con il fondo di velluto su cui, con lunghi spilli sottili, erano fissati gli insetti, tutti corredati del loro nome latino tracciato con grafia chiara e priva di esitazioni.

Cercando di spostarle con cautela, ho inciampato in una busta di plastica caduta a terra, era sigillata da un nastro isolante e portava la dicitura Polizia di Stato: dentro sembrava esserci una sacca a tracolla di stoffa. Per alcuni istanti il mio cuore ha accelerato il suo battito. Cosa poteva essere se non la borsa che mia madre aveva con sé al momento dell'incidente?

Ho lacerato l'involucro con le unghie. Non c'erano chiusure lampo ma solo un bottone già aperto: nella borsa ho trovato un portafoglio con poche migliaia di lire, la tessera di un cineclub alternativo, qualche dinaro, un abbonamento ferroviario della tratta Trieste-Padova e, protetta da una busta trasparente, una polaroid sbiadita di me piccola in braccio a un uomo in riva al mare. Lo sconosciuto, con i capelli lunghi e disordinati e una collana di conchiglie al collo, sorrideva all'obiettivo mentre io, con un secchiello in mano, ero chiaramente seccata: dovevo aver pianto da poco o stavo per farlo. Da quello che intravedevo sullo sfondo dovevamo essere alla baia di Sistiana.

Oltre al portafoglio, c'era un penna a sfera con l'inchiostro ormai secco, una confezione di cartine, una macchinetta per fare sigarette, le chiavi di casa, un foulard sintetico, un rossetto, delle caramelle per fumatori e, nascoste in una tasca interna, due lettere. La prima, indirizzata a mia madre, era stata spedita da Padova pochi mesi prima della mia nascita.

La calligrafia era minuta, regolare, con qualcosa di spigoloso nei tratti.

Cara Ilaria,
ho ricevuto la tua lettera e ti rispondo subito perché, oltre a non volerti far perdere tempo in inutili attese, non voglio neppure creare in te perniciose illusioni.
Se fossi almeno un po' più ipocrita, se i tempi non fossero quelli che sono – tempi di snudamento della verità – potrei mentirti dicendo che sono sposato e che

non ho alcuna intenzione di mettere in crisi il mio matrimonio per un'avventura di un mese.

Invece preferisco essere sincero e dirti chiaramente che io di figli non ne voglio. Né figli, né mogli, né fidanzate, nulla che, in qualche modo, possa limitare la mia libertà. Non ne voglio, perché la mia è una vita di esplorazione e un esploratore non viaggia con la zavorra.

Dalle tue parole invece, alle volte – scusa – un po' troppo melense, intuisco che per te non è così, che coltivi ancora grandi illusioni. D'altra parte, anche se sono passati alcuni anni dal nostro primo incontro, sei tuttora molto giovane e il distillato di perbenismo borghese (e di sentimentalismo) che è penetrato in te con l'educazione è ancora intatto. Nonostante i tuoi atteggiamenti libertari, aspiri in fondo soltanto all'eterna canzone di due cuori e una capanna, magari nella versione rivoluzionaria "io e te e la nostra discendenza in marcia verso il sol dell'avvenir".

"Noi costruiremo un mondo diverso" mi scrivi "a noi sta dare l'esempio di un modo nuovo di vivere i rapporti senza oppressione, senza sfruttamento, senza violenza. Allevare i bambini con creatività, vivere la coppia con libertà."

Secondo te, insomma, dovremmo giocare ai giovani pionieri e in questo modo sei convinta che riusciresti – riusciremmo – a sottrarci all'ottusità del destino borghese, a quella lenta agonia che, fino ad oggi, è stato per tutti il matrimonio.

Te lo concedo soltanto in grazia della tua ingenuità. D'altronde, come negarlo, è proprio quello che più mi è piaciuto in te fin dal primo istante. Per questo – e in virtù della nostra breve frequentazione – mi sento in dovere di offrirti alcuni spunti di riflessione.

Nel tuo testo ricorre molte volte la parola "amore".

*Ti sei mai interrogata davvero su quello che si cela die-
tro un sostantivo così usato e abusato? Ti è mai venuto
il dubbio che sia una sorta di scenografia, un fondale
di carta per ambientare meglio la recita? È la caratteri-
stica dei fondali, quella di mutare ad ogni cambio di
scena.*

*L'essenza della drammaturgia non sta in quella car-
tapesta dipinta – l'illusione pittorica ci aiuta a sognare, a considerare un po' meno amara la pillola – ma, se
siamo onesti con noi stessi, non possiamo negare che
siamo di fronte a un semplice artificio, a una finzione.*

*L'amore – che ha tanto nutrito le tue fantasie – non
è altro che una forma sottile di veleno. Agisce piano
ma inesorabilmente ed è capace, con i suoi invisibili
miasmi, di distruggere qualsiasi vita.*

Perché? ti chiederai, con il tuo sguardo smarrito.

*Perché per amare qualcosa, bisogna prima conoscer-
la. Può la complessità di un essere umano giungere a
conoscere la complessità di un altro essere umano? La
risposta è evidente: assolutamente no. Dunque non si
può amare davvero perché non si può conoscere veramente.*

*Tu hai potuto conoscere una frazione minuscola di
me, così come io ho potuto entrare in contatto con una
frazione minuscola di te. Ci siamo offerti reciproca-
mente la nostra parte migliore, quella a cui sapevamo
l'altro non avrebbe potuto resistere.*

*Succede la stessa cosa anche ai fiori. Per attirare
l'impollinatore, la corolla esibisce colori straordinari,
ma una volta compiuto l'atto, i petali cadono e, dello
splendore passato, resta ben poca cosa.*

*È una legge di natura, non c'è niente di cui scanda-
lizzarsi. Tutti gli accoppiamenti avvengono attraverso
diverse forme di seduzione – ogni specie ha la propria*

– dal fiore all'uomo. Ma come l'ape non può dire al fiore ti amo, così anche noi non possiamo mentirci spudoratamente dicendo di amarci. Nell'onestà dei nostri giorni, l'unica cosa che possiamo dirci (come l'ape al fiore e viceversa) è "mi sei necessario".

Anni fa, in un momento della mia vita per me difficile, mi sei stata necessaria per trascorrere un paio di mesi pieni di freschezza. Allora anch'io ti sono stato necessario – almeno spero – per farti aprire gli occhi su alcune questioni complesse oltre, naturalmente, all'innegabile piacere che si sono dati i nostri corpi. E il piacere – al di là del godimento in sé – è anche uno straordinario mezzo di eversione. Rincontrarti dopo anni ha confermato la magnifica attrazione dei nostri corpi.

Quello che ho detto finora vale, di conseguenza, anche per l'arrivo di un figlio. I fiori che si fanno fecondare dai pollini non godono certo, lo fanno per garantirsi la sopravvivenza, perché possano esistere, nel futuro, altri fiori uguali a loro.

Lo stesso meccanismo è innato anche negli esseri umani. Malgrado la complessità delle nostre menti, i nostri corpi vogliono soltanto riprodursi. A loro, come ai fiori, non importa affatto che ci amiamo o meno, o che l'orgasmo ci abbia travolto – si può nascere benissimo anche da uno stupro, da un'eiaculazione precoce. Su duecentocinquanta milioni di spermatozoi, a vincere la corsa è sempre solo uno – il più bravo, il più forte, il più fortunato, il più disonesto, non importa. L'importante è che la vita si replichi, che si tramandi. È quello che è successo anche a te. È una legge di natura.

A dire il vero, dovrei tirarti un po' le orecchie. Perché non hai preso qualche contromisura? Pensavi ancora – nel tuo romanticismo sognante – alle cicogne e ai cavoli? o forse, non tanto inconsciamente, ma con *lucida volontà, era proprio quello che desideravi – un laccio, una catena, per legarmi definitivamente a te?*

Probabilmente, data la profondità e l'arcaicità del tuo condizionamento, non te ne accorgi neppure ma in realtà quello che vuoi, come molte delle tue amiche, è solo la certezza di un futuro di coppia. Alcuni uomini – davanti a questo vostro ricatto biologico e primordiale – abbassano la guardia e cedono. Lo fanno per debolezza, per banalità, per innato – e mai vinto – timore della morte. Chi, se non un figlio, può garantire loro l'eternità?

Molti cedono, ma io no. L'idea che il bambino che ti cresce dentro sarà non solo uno sconosciuto, ma anche un tiranno in grado di consumare l'energia dei nostri giorni, un parassita in grado di divorare – senza alcun senso di colpa – coloro che l'hanno messo al mondo, mi impedisce anche il minimo tentennamento. Non lo potrò mai conoscere e dunque mai amare. Anche tu non lo potrai fare, malgrado tu lo abbia portato in grembo. Un mattino ti sveglierai e ti renderai conto di esserti messa in casa un estraneo e che quell'estraneo ha il volto di un nemico.

Detto questo, non voglio condizionarti in alcun modo. Come dite nei cortei, "l'utero è mio e lo gestisco io". Fai come vuoi. Se vuoi tenerlo, tienilo; se vuoi abortire, non ho niente da obiettare. Ambedue le decisioni mi lasciano completamente indifferente.

Sappi solo che se un giorno mi capitassi davanti con un fagottino in braccio non mi commuoverei in alcun modo, né abdicherei alle mie convinzioni.

Ti sono grato per le belle ore trascorse insieme, per la filosofia, per la poesia, per il sesso e per l'ingenuità con cui mi hai sempre guardato.

M.

Mio padre e quello del mio fratello perduto erano dunque la stessa persona. La stessa ignobile persona.

Avevo ormai pochi dubbi sul contenuto dell'altra busta, quella bianca. Ho sollevato appena il lembo e ho riconosciuto la scrittura che avevo imparato a conoscere.

Ogni tua parola mi ha confermato ciò che ho sempre saputo. I figli sono soltanto delle madri, i padri fecondano e la loro storia finisce là.

Presto non saranno neanche più necessari, basterà un donatore e una siringa così finalmente si chiuderà la penosa storia della famiglia, il balletto delle finzioni che ha devastato l'equilibrio psichico di parecchie generazioni.

Nella mia casa di Trieste viviamo in parecchi, non mi mancherà l'aiuto, né la compagnia. Il bambino crescerà senza paraocchi, senza ipocrisie, non sarà mai costretto ad appendere nella sua stanza un manifesto con su scritto: La famiglia è ariosa e stimolante come una camera a gas.

Sarà un bambino libero e andrà incontro ad un mondo altrettanto libero, senza più storture, senza le repressioni imposte dal patriarcato, dal capitalismo e dalla chiesa.

Non avrà timori né angosce perché avrà potuto crescere seguendo la bontà originaria che è racchiusa nel cuore di ogni uomo. E la sua anima sarà così grande che forse davvero non arriverò mai a conoscerla, ma la cosa, diversamente che per te, non mi inquieta né mi fa arretrare nella mia decisione.

La sfida è proprio questa, mettere al mondo degli esseri più completi di noi. Se non si riesce a fare la rivo-

luzione con le armi, la si può fare almeno crescendo i figli in modo diverso.

G. dice che da qualche parte nel cielo c'era scritto che le nostre esistenze dovevano comunque incontrarsi e unirsi in una nuova vita. Anche se tu non lo accetti, in qualche congiunzione astrale c'era già scritto il nostro destino e quello di nostro figlio. Probabilmente, per realizzare questo piano, ci inseguiamo da diverse vite e siccome tu rifiuti di procreare, il tuo karma sarà molto lungo e devastante. Probabilmente ti reincarnerai in un animale: ti vedrei bene come rettile (il tuo sangue freddo che irrora ogni cellula del tuo corpo e del minuscolo cervello), oppure in un mandrillo con il muso di un rosso acceso come il sedere.

Inevitabilmente tuo figlio ti somiglierà, avrà i tuoi occhi, le tue mani o il tuo modo di ridere, ma per me sarà solo lui e tu sarai un numero del catalogo ordinato per corrispondenza. Se mi chiederà qualcosa di te, gli racconterò di un amore magnifico e impossibile vissuto una notte su una spiaggia lontana... lo farò sognare su suo padre.

Per fortuna c'è G. nella mia vita. Non so cosa avrei fatto senza di lui. Malgrado i tuoi sarcasmi, non è un nuovo amante, ma una persona unica, per me molto importante. Mi sta aiutando a rimettere insieme i pezzi del casino che ho dentro. Solo lui ha la pazienza per rincollarli, per dare a ogni frammento un senso. G. sa vedere dove gli altri non vedono, sa rintracciare, nel groviglio di strade e sentieri delle nostre vite, il filo che ci porterà alla salvezza.

Non te l'ho mai detto, ma anche anni fa aspettavo un figlio da te. Non l'hai mai saputo perché, appena raggiunte le dimensioni di un girino, è finito nello scarico di un cesso. Ho fatto tutto da sola senza interpella-

re nessuno. Sul momento mi era sembrato un evento di scarsa importanza, solo adesso, scavando tra le rovine, mi sono resa conto di quanto quell'atto, in realtà, sia stato determinante a rendere così instabile la mia casa. Probabilmente era già minata, dato il materiale scadente con cui era stata edificata: dietro di me c'era mia madre, con la sua ottusità borghese, mio padre, un uomo grigio che ha riversato su di me soltanto un tiepido affetto e che ho ricambiato con un sentimento ancora più freddo: un coleottero tra i coleotteri, lo scarafaggio della metamorfosi che si ripara sotto il letto.

Ma non voglio tediarti con queste minuzie borghesi.

Allora ho buttato via nostro figlio perché avevo paura. Paura della responsabilità, dell'impegno, di dovere rinunciare alla mia giovinezza, di non essere pronta a combattere per la rivoluzione, paura di non essere alla tua altezza, di deluderti. Ti ho mentito la prima volta che abbiamo dormito insieme: non avevo affatto preso la pillola. E forse ho abortito anche perché temevo che tu mi deridessi per la mia bugia.

Perché queste ultime volte non me lo hai chiesto?

Secondo G. la risposta è chiara: anche tu inconsciamente desideri un figlio. Ti atteggi ad Erode per mascherare il tuo terrore, ma a questo punto, dopo aver letto la tua lettera, delle tue paure non mi importa più nulla. La mia pancia cresce giorno dopo giorno ed è come se ci fosse un piccolo sole là dentro: è caldo, fa luce e mi aiuta ad andare avanti.

Porterò questa gravidanza fino in fondo: ho trent'anni e non posso più aspettare, non sono più la ragazza ingenua che tu dipingi, infatuata del suo bel professore.

A questo punto è una questione di scelte responsabili ed io, da adulta, voglio diventare madre. Non ho un impiego, ma ho una casa a Trieste (regalo dei miei genitori borghesi che mi sono guardata bene dal rifiutare). Intanto sto lavorando sul mio inconscio, e non è poco. Ogni tanto riesco a dare qualche ripetizione e, quando i miei se ne andranno all'altro mondo, avrò comunque una rendita su cui contare. Dunque tranquillizzati, non assisterai mai alla scena pietosa di me che vengo a mendicare da te con un figlio in braccio.

Sai cosa dice G.? Che ognuno di noi tiene in mano un filo e quel filo ci conduce alla nostra stella. Ognuno di noi ha una stella in cielo e il nostro destino è imparare a seguirla. È una stella aquilone, il nostro karma è scritto nella sua scia, se molliamo il filo tutto è perduto, si formano grovigli, una matassa di stelle.

È proprio questo, Matasse di stelle, il titolo del suo libro più importante. A te, lo so, non importa nulla di queste cose ma sappi che se non cerchi la tua stella, se non la segui, prima o poi si ingarbuglierà con il filo di altre stelle e diventerà impossibile districarla, comincerà a spegnersi fino a scomparire.

La stella è un piccolo sole, ma quando la sua luce si esaurisce diventa fredda, glaciale. Ed è sotto questo sinistro chiarore che tu condurrai i tuoi passi mentre mio figlio ed io correremo felici dietro l'arcobaleno delle nostre stelle aquiloni.

Om Shanti, Om Shanti, Om Shanti

Per un istante, durante la lettura, un velo opaco era sceso davanti ai miei occhi: le parole ballavano confuse e anche le mani non erano più così salde.

I sogni di mia madre non coincidevano in alcun punto con i miei ricordi. Quello che per lei era libertà, per me bambina era stato solamente smarrimento, confusione. Non c'erano mai state corse felici sotto l'arcobaleno. La sua stella era stata una stella di distruzione: la modesta forza che aveva opposto per salvarsi mi aveva gettato in uno stato di profondo turbamento.

Ho deposto le due lettere nuovamente nella borsa con la delicatezza con cui si tratta del materiale archeologico tornato dopo secoli alla luce. Riposate in pace, mi stavo dicendo, riposate, frecce incandescenti pronte a perforare la fragilità delle mie viscere.

Nel dirlo, le mie mani hanno sfiorato un foglio spiegazzato sul fondo della sacca. Era una pagina di bloc notes a quadretti, strappato con malagrazia. A che epoca risaliva questo nuovo reperto?

La data era del mese di maggio, l'anno della sua morte.

MI HAI PRESO IN GIRO TUTTA LA VITA! aveva scritto in stampatello, a caratteri cubitali.

Sul retro, con tratti nervosi, una lettera:

Perdona, perdonami di averti messo al mondo.

Ho fatto uno sbaglio dietro l'altro, ho scavato tutta la vita nelle gallerie come una talpa, senza vedere niente, correndo in tondo come un topo.

L'orizzonte non c'era, il futuro non c'era.

Ero nata per vivere in un vicolo cieco, ormai sono alla fine della strada.

Perdonami se puoi.

Se non puoi, pazienza, ti stringo forte, ti bacio sulla fronte.

La firma – *Ilaria* – era coperta da due tratti neri, poco più sotto, a caratteri grandi e un po' infantili, aveva scritto

La tua mamma.

Quando si lacera, il cuore che rumore fa? il tonfo di una spugna inzuppata o il sibilo di un fuoco pirotecnico bagnato dalla pioggia?

Avrei voluto saperne di più, ma non era possibile. Ormai dovevo affidarmi unicamente alla mia memoria, a quei pochi, deboli, baluginanti tratti che appartengono ai primi tempi della mia coscienza, ma quella porta era stata chiusa da troppi anni. La mia vita – la vita che conoscevo – era appartenuta a te, alla tua casa, tutto ciò ch'era accaduto prima si era dissolto come se davvero fossi nata a quattro anni.

Ripercorrere quegli anni, però, scoprendo cose che forse mai un figlio vorrebbe sapere, aveva strappato un velo dalla mia memoria, come – dopo una lunga assenza – si tolgono i lenzuoli dai divani.

Per prima cosa, mi era tornato alla mente un odore, precisissimo. Odore di sigaretta misto a quello di hashish bruciato in un ambiente chiuso. Se fossi stata un uccello migratore l'avrei seguito per tornare al nido. Il mio nido infatti era l'appartamento di mia madre a Trieste, una sorta di comune affollata da un viavai continuo di persone. Gattonavo tra donne e uomini seduti o sdraiati sul pavimento come fossero i vialetti di un labirinto.

Nella valigia, ho trovato solo due foto di quel periodo. Nella prima me ne stavo, con una faccia imbronciata e sporca e un maglione rosso, in braccio a mia madre, mentre lei con i capelli lunghi, le borse sotto gli occhi, mi faceva fare ciao ciao a qualcuno, tenendo una mia mano tra le sue. La seconda foto risaliva al giorno del mio terzo compleanno. Sempre tanta gente seduta per terra ed io al centro davanti a una massa scura e informe rischiarata da tre candeline gialle che doveva essere la torta. Alle mie spalle pendeva – come un festone – un rotolo di carta igienica con su scritto, a pennarello, *Buon compleanno*.

Non avevo alcuna memoria reale di questi due eventi, quel che restava in me di quei primi anni di vita era una sorta di brusio di fondo, un affastellarsi di voci contrapposte, di rumori forti che venivano sovrastati, a tratti, dal suono straziante di uno strumento (più tardi identificato con un sitar) che mi faceva piangere.

Avevo paura di quel suono, come avevo paura di stare sola, quando tutti si addormentavano sul pavimento, di quando il sole era alto e scuotevo mia madre e lei, invece di aprire gli occhi, continuava a dormire girandosi dall'altra parte.

Avevo paura del sitar e avevo paura di mia madre perché spesso non era lei ma un'altra persona, afferrava le cose e le rompeva, sbatteva la testa nel muro, colpiva a calci le porte.

È stato forse questo terrore a cancellare il suo volto dalla mia memoria. In qualsiasi istante, la realtà poteva deflagrare, esplodere in mille pezzi e l'accensione della miccia in qualche modo mi riguardava.

Di quei giorni, a parte lo sgomento e l'ansia costante, ricordo anche il nascere di qualcosa di più piccolo e devastante se rapportato ad un bambino: il sentimento della compassione. Sì, era compassione quel nodo alla gola che mi faceva piangere mentre lei era a terra esausta ed io, con timore e delicatezza, mi avvicinavo per sfiorarle il volto.

2.

Potevo continuare ad ignorare mio padre come lui aveva fatto con me? Continuavo a chiedermelo in quei giorni, senza trovare una risposta.

Negli anni della mia adolescenza avevo fantasticato molto su di lui. Alla tua fandonia sul principe turco (come all'esistenza di san Nicolò) ho smesso di credere intorno ai nove anni ma continuavo a pensarci, costruendo giorno dopo giorno il mio personale mosaico. Per farlo, usavo le tessere dai colori più straordinari: se non si era mai fatto vivo, era evidente che ci doveva essere stato qualche impedimento, un ostacolo così grave da mettere a rischio la sua – o addirittura la mia – esistenza.

Per quale altra ragione un padre sceglierebbe di proposito di non vedere crescere sua figlia? Nel mio immaginario si susseguivano scenari sempre più fantasiosi, dallo spionaggio internazionale (solo una spia non avrebbe rischiato di tradire la sua identità) ai laboratori di ricerca scientifica più avanzata (mio padre doveva essere un biologo, un chimico, un fisico e lavorava a progetti di straordinaria importanza per il futuro dell'umanità), per questo era costretto a vivere in qualche sotterraneo blindato, lontano da tutti gli sguardi indiscreti e rinunciare così all'amore di sua figlia.

I bambini vogliono essere orgogliosi dei loro genitori, peccato che i genitori non se ne rendano conto. Nei casi più fortunati, un padre e una madre hanno un'idea di come dovrebbe essere un figlio e a quell'idea fanno in modo che tutto si uniformi. Nei casi più sfortunati, non vedono nulla all'infuori di se stessi e continuano a vivere senza accorgersi di quel raggio laser perennemente puntato addosso, uno sguardo che trapassa muri e supera distanze, implacabile, assetato, affamato, capace di raggiungerli in ogni parte della terra, di seguirli in cielo o all'inferno, pronto a rischiare tutto, a perdere tutto, uno sguardo che dal momento stesso in cui si è aperto sul mondo chiede una cosa soltanto: un altro sguardo che gli risponda.

Ogni bambino nasce con un innato bisogno di meraviglia, vuole aprire gli occhi su qualcosa da ammirare, essere condotto sulla cima di un monte e contemplare lo splendore, la luce che cambia, la neve, il riflesso dei ghiacci, l'aquila che, dall'alto, protegge maestosa i suoi pulcini, come dovrebbero fare anche i genitori degli esseri umani.

Invece, il paesaggio che si staglia all'orizzonte di molti figli spesso non è altro che una discarica a cielo aperto piena di carcasse di automobili, sedie rotte, scaldabagni e vasche riversi tra l'erba, sacchetti di plastica impiccati tra i rami e televisori morti, un'unica distesa di desolazione e disordine. E tuttavia anche lì, qualcuno di loro può riuscire a trovare qualcosa da ammirare – magari una bilia – e in quella piccola sfera di vetro, per una frazione di secondo, il mondo brilla tra le sue mani senza più ombre.

Per non cedere allo sconforto, un figlio si aggrappa a qualsiasi cosa – indizi, segnali – capaci di ingrandirsi e allargarsi fino a coprire tutta la scena.

Non c'è detective o scienziato che regga davanti al talento inquisitore di un bambino in cerca di motivi validi per ammirare chi lo ha messo al mondo.

Un padre ubriaco (che, per andare a scuola, magari devi scavalcare mentre è steso sul pavimento) non è cattivo, anzi: avrebbe potuto entrare in casa furioso e prenderti a calci, e invece ha deciso di addormentarsi e lasciarti in pace. È buona la madre che (dopo averti trascurato per giorni) torna a casa e ti cucina una frittata: poteva anche non farlo, poteva rientrare e chiudersi in camera sua, tanto non ha fame e di te che gliene importa, invece apre il frigo, prende le uova, le sbatte nella padella e magari ti guarda negli occhi e ti chiede se hai fatto i compiti, perché tu sei la cosa più importante della sua vita.

Per anni avevo rinchiuso mio padre in un palloncino immaginario che mi seguiva ovunque: se ne stava là dentro, sospeso, con il sorriso quieto del Buddha, contornato da petali: sublime, irraggiungibile. Ero convinta che prima o poi il palloncino sarebbe scoppiato e lui sarebbe finalmente sceso a terra per stringermi in un abbraccio.

L'esplosione c'era comunque stata, ma invece del Buddha – serafico e imperturbabile – a precipitare al suolo era stato il professor Ancona, con la sua barba, le sue sigarette, le sue parole in apparenza sensate, in realtà affilate come stiletti.

In quei giorni di totale solitudine, avevo letto e riletto la sua unica lettera a mia madre. In un primo momento mi era sembrato di poter condividere alcune asserzioni – l'amore per la conoscenza, ad esempio o il desiderio di non avere legami per poter andare più liberamente in giro a interrogarsi: è una mente grande, mi dicevo, in fondo ha il diritto di non legarsi alla quotidianità, ma ero ancora intrappolata nella sindrome del palloncino, volevo trovare in lui qualcosa anche di mio.

Riesaminandola dopo qualche giorno, le cose mi sono apparse in modo molto diverso, era come se – tra quelle righe – fosse avvenuta una reazione chimica e dalle parole piane, ordinate, autorevoli trasudasse una sostanza verdastra, acida, corrosiva in grado di portare alla luce la vera natura di chi le aveva scritte. C'era paternalismo là dentro, derisione e cinismo. Mia madre veniva dipinta come una di quelle poverette dei romanzi di appendice – sedotta e abbandonata al primo incidente di percorso; altri termini, altro contorno, certo, ma "gratta gratta" (come diceva lui) la storia era sempre la stessa: la donna si innamora – e sogna – mentre l'uomo si diverte, e gioca.

Avevo fantasticato per anni sull'incontro con mio padre, sul nostro primo abbraccio, ma quelle poche pagine avevano spazzato via ogni tenerezza e ammirazione lasciando dentro di me soltanto rabbia. Mi sentivo umiliata nel mio essere donna, nel mio essere figlia di mia madre (e dunque anche sua), frutto di quella degenerazione, non generazione che, per uno scherzo del caso, mi aveva messo al mondo.

Adesso sapevo che al nostro primo incontro gli avrei sputato addosso. Sarei andata sì a cercarlo, ma non per affetto o per curiosità, unicamente per sfogare il furore che sentivo salirmi in corpo, per gridargli in faccia tutte quelle cose che avrebbe dovuto dire mia madre e di cui non aveva avuto il coraggio.

Una cosa era certa (e per me consolante): malgrado la sua smania di libertà e la sua alta considerazione di sé, non era diventato quello che sperava altrimenti avrei letto il suo nome da qualche parte. Doveva essere rimasto un pesce piccolo o di media grandezza, rintanato per tutta la vita nel piccolo acquario protetto dell'università e delle pubblicazioni per specialisti. Ne ho avuto la conferma qualche giorno dopo, in libreria – in un saggio di epistemologia tradotto dall'inglese c'era scritto: *Postfazione del professor Massimo Ancona.*

Rintracciarlo non era stato difficile. Ho telefonato alla casa editrice chiedendo di avere il suo indirizzo, mi hanno risposto gentilmente che – per motivi di privacy – non erano autorizzati a darmelo ma che avrei potuto inviargli una lettera presso di loro, avrebbero provveduto a inoltrargliela.

Così ho preso carta e penna e gli ho scritto. Mi sono presentata come una studentessa di filosofia, giovane, timida, piena di ammirazione per la complessità della sua opera.

Potevamo incontrarci?

La risposta non ha tardato ad arrivare, abitava non lontano da Trieste. Ha ringraziato, schermendosi per i complimenti, aggiungendo che era inutile prendere un appuntamento perché tutti i pomeriggi, a parte la domenica, era sempre a casa. Bastava che suonassi al citofono, dicessi il mio nome – Elena – e lui avrebbe aperto.

Elena era il nome che avevo scelto per presentarmi, come cognome invece avevo optato per quello di tua madre, non volevo correre il rischio che l'ombra – anche minima – di un sospetto potesse annullare l'incontro.

Così la "studentessa" Elena, in un gelido giorno di bora, ha preso l'autobus e si è diretta a Grado a conoscere suo padre. Ci è andata come il lupo di Cappuccetto rosso, come l'orco di Pollicino, come tutte quelle creature delle fiabe capaci di mordere e fare male. Ma lo ha fatto anche come un bambino, con ingenua sospensione, sperando che negli anni la storia avesse preso un corso diverso, perché quell'abbraccio era sempre lì in attesa, spalancato dentro di lei come le chele di un granchio gigante.

Con quale sentimento mi preparavo all'incontro, in quell'autobus semivuoto che mi portava verso il mare?

Timore? Rabbia? Rabbia, di certo, ma forse più paura. Fuori dal finestrino scorreva un panorama di piatta desolazione, avevamo da poco fiancheggiato le gru dei cantieri di Monfalcone e stavamo ormai superando l'estuario dell'Isonzo, il cielo di tanto in tanto veniva attraversato dal volo lento di un airone. Forse più paura perché – dopo tante riflessioni ed elaborazioni strategiche di attacco – non ero più certa che la mia mano avrebbe avuto il coraggio di premere il pulsante del citofono né le mie gambe di salire le scale né il mio sguardo di reggere il suo senza tradire sentimenti ed emozioni, come Ulisse di ritorno a Itaca un attimo prima di sterminare i Proci.

Sono stata l'unica persona a scendere alla fermata. Un anziano ciclista dall'andatura piuttosto incerta avanzava dal fondo della strada deserta.

Malgrado il nome – Grado Pineta – di pini in quel luogo ce n'erano davvero pochi, per lo più spelacchiati e imprigionati in una scacchiera di condomini fatiscenti dai nomi poeticamente evocativi: *Le Sirene*, *Ippocampo*, *Stella di mare*, *Nausicaa*.

Durante i lunghi mesi invernali, i vari giardinetti

avevano dato ricovero a ogni sorta di bottiglie, cartacce, lattine di birra e rifiuti trasportati dal vento.

Luogo privilegiato di seconde case durante il boom economico, il quartiere sembrava ormai un galeone alla deriva. Già da tempo la salinità del mare aveva iniziato la sua opera di corrosione sugli intonaci e gli infissi, molte imposte pendevano sconnesse, qualche tapparella era crollata. *Villa Luisella* c'era scritto su un cartello, storto e bucherellato, davanti a una villetta diroccata. Durante l'inverno, qualcuno doveva essersi divertito a spararci sopra. Dietro al cancello, riversa sul prato, una bicicletta con un solo cerchione.

Come ci era finito il professor Ancona in un luogo del genere? Non riuscivo a rispondermi. Dopo un paio di tentativi andati a vuoto ho finalmente trovato la strada e il numero.

Via del Maestrale 18.

Davanti a me si stagliava un palazzo spettrale come tutti gli altri, ingentilito solo da un piccolo portico che in estate forse ospitava negozi (li immaginavo affastellati di canotti e palloni, creme da bagno e lettini, di secchielli e palette); adesso però erano chiusi e dalle tristi serrande a maglie si intravedevano i banchi vuoti, il velo della polvere, le pagine di un quotidiano sparse sul pavimento.

Massimo Ancona. Era uno dei pochi nomi sul quadro dei citofoni. Non potevo più esitare, ogni frazione di secondo si stava trasformando in dubbio. E dal dubbio, si affacciava prepotente la certezza che – per la mia vita e la sua – sarebbe stato molto meglio girare i tacchi e tornare nell'oscurità da dove ero venuta.

«Elena» ho detto al citofono.

«Quinto piano.»

La mia mano spinge il portone di vetro, i miei occhi individuano, appeso nell'atrio, un salvagente bianco e arancione (nel caso la palazzina dovesse affondare?) con il nome del condominio – *Le Naiadi* – prendo l'ascensore, poi una porta si apre e io mi trovo davanti a mio padre.

3.

Odore di chiuso, di fumo freddo, penombra. Mobili bianchi da casa di vacanza al mare, sportelli sconnessi, il laminato gonfiato dall'umidità. Libri dappertutto, fogli sparsi, per terra una vecchia macchina da scrivere coperta dalla custodia, un computer portatile aperto – unica fonte di luminosità – giornali, riviste, una bottiglia di whisky con accanto un bicchiere ormai opaco per le ditate, una trapunta sporca a proteggere un letto da bambini trasformato in divano.

In mezzo alla stanza, lui.

Stesso volto della foto, soltanto un po' più gonfio, i capelli neri, brizzolata la barba, gli occhi fiammeggianti, il fisico ancora magro ma leggermente cadente per effetto della pancia che spinge i bottoni della camicia come se volesse strapparli.

«Che bella sorpresa per un pomeriggio altrimenti malinconico!»

«Piacere, Elena» ho detto prima di accomodarmi sullo sgangherato divanoletto.

Più che raccontare di me e dei miei studi, riguardo ai quali mi sono tenuta debitamente sul vago, l'ho fatto parlare. Sembrava non aspettare altro. Doveva essere un uomo molto solo, la testa sempre piena di pensieri, non gli pareva vero che ci fosse qualcuno ad ascoltarlo.

La curiosità aveva preso il sopravvento sulla rabbia. Cercavo di guardarlo con gli occhi di mia madre, cosa l'aveva colpita? Che emozioni era riuscito a suscitare in lei da determinare in maniera così tragica il suo destino?

«Sarai stupita» continuava lui, nel suo lungo monologo «che io abbia scelto di vivere in un luogo così allucinante, magari avresti preferito venirmi a trovare in un loft ricavato da una vecchia pescheria a Venezia, con mobili antichi e vecchie stampe alle pareti, ma quella, capisci, sarebbe stata ancora una volta convenzione, avrei aderito a un modello prestabilito – il professore di filosofia nel suo habitat naturale – ed è proprio quello che non voglio fare, entrare nelle scarpe che mi ha preparato un altro. Nello sradicamento c'è anche questo – colonizzare gli avamposti del nulla. Io vado dove nessuno avrebbe mai il coraggio di andare e sai perché? Perché non ho paura. Tutto qui. Non vivendo nella menzogna del legame, non temo niente. È la finzione che ci rende fragili. Dobbiamo riempirci di cose e oggetti e simulacri per tenere a bada il terrore ma questo accumulare, invece di provocare sollievo, genera un terrore ancora più grande, quello di perdere. Più legami abbiamo, più viviamo nel panico, le persone muoiono o ci lasciano, le cose si perdono, si rompono, vengono rubate e a un tratto ci troviamo completamente nudi. Nudi e disperati. Naturalmente siamo sempre stati nudi, ma abbiamo finto di non saperlo, di non vederlo e quando lo scopriamo è spesso troppo tardi per mettersi in salvo. Se non ti puoi aggrappare al niente, ti chiederai, come fai a salvarti? Ti salvi non agendo – o meglio agendo in armonia con il nulla. Il nulla ci precede, il nulla ricoprirà il nostro passaggio. Nel nulla c'è la saggezza dell'apparire e dello sparire, per questo dobbiamo affidarci al nulla come a una nutrice generosa... *Colonizzare gli avamposti del nulla* è proprio il titolo del saggio a cui sto lavorando...»

Il tempo passava e non riuscivo ad inserirmi nel flusso delle sue frasi. Avevo ancora un'ora di tempo prima dell'ultima corriera. Non sapevo come affrontare l'argomento.

Per fortuna, ad un certo punto, si è alzato per riempirsi di nuovo il bicchiere di whisky e il mio sguardo è caduto su un bellissimo tappeto persiano, l'unica cosa antica della casa.

Gliel'ho indicato: «E quello, da dove viene?».

«Ti sembra un segno di contraddizione? In effetti lo è... Mio padre commerciava in tappeti, è uno degli ultimi che mi sono rimasti.»

«Un ricordo?»

«No, la mia cassaforte. Qualcosa da vendere in caso di necessità.»

Invece di sedersi sulla sedia, è venuto accanto a me sul divanoletto, le molle hanno cigolato sotto il peso. Siamo rimasti per un po' così, in silenzio; non lontano un cane abbaiava disperatamente, poi lui ha preso una mia mano tra le sue e ha cominciato a osservarla.

«Secondo gli antichi, nella mano di una persona sono racchiuse tutte le qualità della sua anima... Qui vedo intelligenza e nobiltà di pensiero... Somiglia molto alla mia.»

Le nostre mani erano posate sulla mia gamba, una accanto all'altra. La mia tremava leggermente.

«Somiglia perché sono sua figlia» ho detto, con una voce che mi ha stupito per la calma.

Al latrare del cane si erano aggiunte le bestemmie

di un vecchio che, senza successo, cercava di farlo smettere.

Si è subito scostato da me.

«Cos'è, una boutade?» la sua voce era tra l'allarmato e il divertito «o una cattiva pièce teatrale?»

«Padova, anni Settanta. Una sua allieva...»

Si è alzato in piedi per guardarmi meglio in faccia.

«Anni meravigliosi, le ragazze si buttavano tra le mie braccia come api nella corolla.»

«Lo snudamento della verità.»

Una luce dura ha attraversato i suoi occhi, rendendoli opachi, cancellando la varietà dei riflessi.

«Se vuoi recriminare qualcosa, ti dico subito che hai sbagliato obiettivo.»

«Nessuna recriminazione.»

«Cosa vuoi, allora? Vuoi un risarcimento, dei soldi? Se è per questo, al massimo ti posso dare un tappeto.»

«Non ho bisogno di soldi e non voglio tappeti.»

«Allora perché sei venuta fin qui, ammesso che tu sia davvero mia figlia?»

«Per curiosità. Volevo conoscerti.»

«Tra esseri umani la conoscenza totale è impossibile.»

«Ma la curiosità è un attributo dell'intelligenza.»

«*Touché!*»

Mancava pochissimo al passaggio della corriera, mentre mi infilavo la giacca ha aperto la porta di casa, dicendo: «Torna pure quando vuoi. Il pomeriggio sono sempre qui, la mattina è meglio che telefoni perché spesso esco».

Dopo quella prima visita sono tornata a trovarlo ogni settimana, per tre mesi. Spesso andavamo a pas-

seggiare sulla spiaggia, la stagione balneare era ancora lontana e sulla battigia marcivano cumuli di alghe
che nelle giornate di sole sprigionavano un forte
odore richiamando frotte di gabbiani reali sempre in
cerca di cibo.

Il livello dell'acqua variava moltissimo con le ma-
ree. A volte, i pensionati-pescatori dovevano spin-
gersi fin quasi all'orizzonte, per riuscire a pescare le
vongole e le capesante.

Incrociavamo spesso persone che facevano jog-
ging: giovani atletici o uomini dalla pancia troppo
ingombrante, madidi di sudore anche in pieno inverno.

Sovente, nelle giornate più miti, gli innamorati si
sedevano sui tronchi sbattuti a terra dalle mareggiate.

«Sai perché tutti gli innamorati amano guardare il
mare?» ha osservato una volta mio padre, indicando
una coppia abbracciata. «Perché sono convinti che il
loro amore sia senza fine, come l'orizzonte. A una linea illusoria, insomma, sovrappongono un sentimento illusorio.»

Non perdeva occasione per illustrarmi la fallacità
del mondo apparente. Maya (la grande illusione cosmica, secondo la filosofia indiana vedica) ci impri-
giona nella sua rete magica nella quale soltanto pochi
eletti riescono a trovare un varco e a fuggire, aprendo finalmente gli occhi. Tutti gli altri sono costretti a
inseguire delle ombre.

«L'amore non può essere soltanto un'ombra» ho
replicato.

«Certo che lo è. È l'ombra della parzialità. Vedi,
adesso io sono contento di passeggiare con te sulla
spiaggia, mi fa piacere parlarti di tante cose, ma è
amore questo? No, è soltanto compiacimento della

conoscenza di una parte. In te, che dici di essere mia figlia, amo il riflesso della mia intelligenza, quello che conosco di me e riesco a rivedere in te. Ma se, ad esempio, tu avessi preso un tratto genetico diverso (magari di qualche zia ottusa della mia o della tua famiglia), se tu fossi una sciocca ragazza che vive per i talk show e per i pantaloni all'ultima moda, ti avrei messo subito alla porta e avrei anche cambiato numero di telefono per non farmi più trovare. Non mi interessa possedere quanto piuttosto riconoscere un segno, una traccia che, misteriosamente, procede di generazione in generazione. È proprio per questo – per il non possesso – che ti ho lasciata libera. Prova ad immaginare se, fin dall'inizio, avessi saputo di essere la figlia del professor Ancona. Automaticamente avresti risposto a dei moduli comportamentali predefiniti sentendoti, magari, in dovere di essere la prima della classe. O forse, per contrasto, avresti fatto di tutto per apparire più imbecille possibile, bucandoti anche le palpebre con dei chiodi e seguendo come una pecora ogni tipo di abominevole moda pur di farmi impazzire di rabbia. Invece così sei cresciuta senza condizionamenti e sei diventata quello che veramente avresti dovuto essere, non una pianta da vivaio ma un albero che cresce solo e maestoso in mezzo ad una radura e tutto questo grazie a me, perché mi sono nascosto, sottratto. Non credere che non sia stato anche un sacrificio da parte mia, ho dovuto comunque rinunciare a quelle mille piccole gioie concesse ai padri, ma non ho voluto tarparti le ali, capisci? Ho preferito che fosse proprio il tuo patrimonio genetico a venire fuori, senza storture, senza condizionamenti, perché alla fine è questa la nostra essenza: per millenni il nostro DNA si è arrotolato racchiudendo tra le sue spire il segreto della nostra capacità di sopravvivenza: vivi, sopravvivi, muori; è tutto scritto lì, in quei micron di materia.»

Quel giorno il sole era caldo. Ci siamo seduti su un pattino tirato in secca e abbiamo sfilato le giacche. Mio padre si è acceso una sigaretta. Lo sguardo mi è caduto su un cormorano morto, poco lontano da noi; un rapace doveva avergli mangiato la testa e le mosche si affollavano sul troncone del collo, se l'avessi spostato, avrei trovato i necrofori già al lavoro.

Non mi aveva mai chiesto nulla di mia madre, né chi fosse – se era una delle tante – né che fine avesse fatto. Mi sembrava strano.

«Mia madre è morta» ho detto, senza guardarlo in faccia.

«Ah sì?»

«Da quasi vent'anni. Io ne avevo quattro.»

«Anche questa è una specie di fortuna. E come?»

«In un incidente di macchina, non ne so molto. Credo che non ce la facesse più e che, in qualche modo...»

Il fumo della sigaretta saliva con anelli regolari davanti al suo volto. Ha fatto un profondo sospiro.

«È proprio così... il gene dell'ingenuità spesso è latore di un difetto.»

«Quale?»

«Quello dell'autodistruzione.»

Una volta, dopo la passeggiata, mi ha portato a pranzo in città vecchia, in una trattoria di cui probabilmente era cliente abituale perché il cameriere, anzianotto, accompagnandolo al tavolo lo ha chiamato professore.

«Penseranno che sei la mia ultima conquista» ha sussurrato sedendosi.

"Da quando in qua ti interessa quello che dicono gli altri?" avrei voluto ribattere, ma sono stata zitta.

Sulla parete alle sue spalle, un ubriaco mi fissava da un quadro ad olio: aveva un fiasco vuoto davanti, il cappello sulle ventitré e due lacrime gli solcavano il volto. Nel quadro accanto un sole enorme e arancio vegliava su due cavalli bianchi che si affrontavano muso contro muso, zampe contro zampe, non era chiaro se per rivalità o per amore. In fondo, avrebbe detto mio padre, è la stessa cosa.

«Prendi il brodetto con la polenta» mi ha suggerito.

«No, preferisco i calamari fritti.»

Nell'attesa, ci hanno portato degli antipasti e del vino bianco. Era la prima volta che lo vedevo mangiare. Pensavo che lo avrebbe fatto con sovrano distacco, come tutto il resto, invece, con mia grande sorpresa, divorava tutto con avidità, lo sguardo basso, le dita rapide, come se fosse stato digiuno da tempo.

Fino ad allora non aveva fatto nessuna domanda su di me e la mia vita. Osservandolo chino sul piatto, ebbi il fondato sospetto che se, al posto mio, ci fosse stato un manichino o una sagoma di cartone sarebbe stata esattamente la stessa cosa. Ma ero io a voler sapere qualcosa di lui, così, nell'estenuante attesa del brodetto, l'ho interrogato sulla sua famiglia.

La madre era originaria di Rodi e il padre, Bruno Ancona, commerciava in tappeti; in realtà si era laureato in Economia e Commercio, ereditando l'attività dei tappeti dal suocero: tra lavorare per una compagnia di assicurazione e girare l'Oriente alla ricerca dei pezzi migliori aveva preferito la seconda ipotesi. Vivevano a Venezia dove, nel 1932, era nato lui.

Poco prima delle leggi razziali si erano imbarcati su una nave per il Brasile, portando in salvo una cassa di tappeti. La madre aveva cercato di opporsi con tutte le forze: le sue amiche della canasta stavano ancora al loro posto, non c'era alcun motivo di allarmarsi.

Erano italiani. Italiani come tutti gli altri.

Per l'intera traversata il marito aveva dovuto sorbirsi le sue lamentele. «Hai troppa fantasia» gli ripeteva «e la tua fantasia ci porterà alla rovina.»

Lo strazio non si era interrotto neppure a San Paolo. Tutto era eccessivo per lei: troppo umido, troppo caldo, troppo sporco, troppo misero, troppo pieno di negri e, cosa ancora più grave, non c'era nessuno con cui giocare a canasta. Aveva resistito ancora due anni e poi si era ammalata ed era morta.

«Una donna tutto sommato stupida» era stato il commento di mio padre. «Molto bella, scura, con occhi come carboni accesi, ma stupida.»

Bruno invece non era affatto stupido, a un anno dalla vedovanza si era risposato con una bella creola e aveva messo al mondo una sfilza di marmocchi colorati.

Lui, Massimo, dopo la fine della guerra si era fatto dare dal padre quello che gli spettava e se ne era tornato in Europa. Non l'aveva mai più visto né sentito, non sapeva neppure se fosse morto.

«Anche questo» aveva concluso, succhiando avidamente la chela di un crostaceo «non ha nessuna importanza. Il passato non si può più modificare e il futuro non ci appartiene di diritto. Ciò che esiste davvero è il presente. Solo l'attimo ha importanza.»

Tornando a Trieste, quella sera, l'odore di fritto mi ha seguito fino dentro casa. Ero stanca e volevo solo andare a dormire ma ho dovuto comunque farmi una doccia. Avevo paura che, nella notte, quello squallore mi sarebbe entrato dentro, mescolandosi con la tristezza.

4.

La settimana seguente non sono andata a trovarlo.

I suoi discorsi si erano posati sui miei pensieri come polvere sui mobili, scivolando nelle fessure, negli spazi vuoti, offuscandoli; non era lo sporco innocente della trascuratezza che basta un panno o un soffio per disperderlo, ma un pulviscolo mefitico, capace di nascondere tra le sue molecole qualche metallo pericoloso – piombo, arsenico – sostanze che, assorbite a piccole dosi, non danno inizialmente sintomi ma che, con il passare del tempo, conducono all'avvelenamento e alla morte.

Molte volte, ascoltandolo, mi ero trovata ad assentire alle sue parole; in fondo condividevo lo sdegno per l'apparenza, per la finzione dei sentimenti: l'ottusità che intravedevo negli sguardi di molte persone mi irritava e terrorizzava nello stesso tempo. Che vita poteva esserci dietro quegli occhi opachi? Un'esistenza che certo non sarebbe mai stata la mia, ma che alternativa si poteva opporre all'opacità? Grazie alla sua indole (che poi era anche la mia) mio padre si era tirato fuori dal coro, ma era davvero una vita libera la sua?

L'immagine che amava dare di sé era quella di un albero che si staglia solitario nella radura, protendendo la maestosa impalcatura dei rami verso il cielo.

Ma non era simile, piuttosto, la sua vita a uno di quei grandi platani dal tronco possente che fiancheggiano i viali di città, cresciuto incurante delle pisciate dei cani, delle cartacce, dei mozziconi di sigarette e delle lattine accumulate tra le radici, indifferente allo spray fluorescente con cui gli innamorati intrecciano i loro nomi, alle oscenità ogni stagione più pesanti incise sulla corteccia?

Un albero dalle radici che non respirano, soffocate dall'asfalto, stremate dalle vibrazioni degli autobus, con le foglie grigie e il tronco annerito dalla fuliggine che – malgrado tutto – conserva la sua possente altezza perché, come tutti gli alberi, vuole una cosa soltanto – abbeverarsi alla luce – e, per farlo, deve continuare ad innalzarsi: in alto, più in alto ancora, spingendosi oltre l'ombra dei palazzi. Una conquista che ogni inverno viene annientata dall'implacabile scure del Servizio Giardini che lo capitozza a puntino e, dei suoi bei rami, non lascia che dei minuscoli monconi. Nonostante la mutilazione, però, il platano non si arrende: ad ogni primavera dalle sue braccia amputate spuntano tanti fuscelli e, da quei teneri rametti, le prime foglie.

Fa male al cuore vedere un albero ridotto in quelle condizioni, soprattutto per chi sa quanto spazio può occupare in mezzo a una radura. Molti però lo ignorano e si incantano lo stesso.

«Guarda che bello!» dice il nonno al nipotino, passando vicino «ha messo le foglie!»

Non viene sfiorato dal dubbio, il vecchio, che quella sparuta apparizione altro non sia che un'agonia protratta da decenni, il canto di una balena coperta di fiocine che si inabissa morente nell'oceano.

Mentre stavo con mio padre mi sentivo come una lepre tra le spire di un pitone, la complessità e l'arditezza dei suoi ragionamenti mi toglievano il fiato, facendomi girare la testa.

Appena però mi allontanavo e ripensavo ai suoi discorsi, lo stordimento si trasformava in insofferenza e l'immagine del platano si riaffacciava nella mia mente con insistenza. Aveva ricercato la verità con la stessa forza con cui l'albero tende alla luce tra i palazzi ma, negando la vita, alla fine si era soltanto avviluppato su se stesso.

Era come un viandante che aspetta un autobus seduto a una fermata nel deserto, senza sapere che quella linea è stata soppressa da anni.

Cosa sarebbe successo, ad esempio, se invece di lavarsene le mani davanti alla gravidanza di mia madre, ne avesse accettato la responsabilità, se si fosse sposato, se avesse coltivato il rapporto con la sua famiglia di origine, se, invece di lasciare l'università, avesse continuato ad insegnare, occupandosi con passione dei suoi studenti?

Come sarebbe stata, insomma, la sua vita – e quella delle persone che gli stavano intorno – se invece di fuggire le responsabilità le avesse accolte?

Che rapporto c'è tra verità e vita?

Era quella la domanda cruciale che mi ripetevo in quei mesi. Me lo chiedevo per lui ma anche per me.

La notte era il momento peggiore.

Sola in quella grande casa, esasperata dal rumore del vento che faceva sbattere le imposte, avevo la certezza che la sua ricerca della verità, con il passare degli anni, si fosse trasformata in un paravento, uno di quei bei manufatti ricamati ad arte come quelli che si usano in Cina, ma sempre un telaio foderato, un luogo dietro il quale nascondersi e nascondere le cose.

Se pensavo poi a mia madre, la rabbia si trasformava in furore. Se lei era tanto ingenua, perché l'aveva abbandonata al suo destino? non provava rimorso? Davvero io ero soltanto il frutto della reazione biochimica di due esseri altrimenti estranei tra loro? Era stata la luce di marzo – la sollecitazione dell'ipotalamo con le sue tempeste ormonali – a imporre il loro accoppiamento, i loro liquidi si erano mescolati e questo era tutto?

Succede anche ai rospi: in febbraio si incontrano negli stagni e in marzo tornano nei boschi, lasciando lì le uova. Ma un rospo non si chiede: chi sono, che senso ha la mia vita?

Mia madre era un rospo, un porcospino, una biscia, o invece qualcosa di diverso, qualcuno comunque di irripetibile? E la sua fine era davvero imputabile solo ad una innata incapacità di sopravvivere nella giungla della vita o c'erano anche responsabilità di altri, azioni non fatte – o fatte male – da chi le stava intorno e avrebbe avuto il dovere di aiutarla, magari avendo più anni ed esperienza di lei?

Si possono davvero confrontare gli animali con l'uomo?

Più volte, nel cuore della notte – prigioniera dell'inestricabile rete di questi ragionamenti – ho afferrato il telefono, pronta a gridargli: *Mi fai schifo. Ti odio. Vai all'inferno!* ma ogni volta, dopo il prefisso, mi bloccavo colta da un inspiegabile timore.

Avevo forse paura della sua voce beffarda, del suo immancabile, cantilenato "sapevo che sarebbe finita così"? O il mio timore era quello di precipitare – senza possibilità di appello – nella massa mucillaginosa in cui aveva relegato con disprezzo "gli altri"? Gli altri – i normali – quelli che si accontentano, che non hanno l'intelligenza né il fegato per alzarsi in piedi e scrutare l'orizzonte, tutti i miseri che continuano a suonare la grancassa dei giorni senza accorgersi che la vita non ha alcun senso.

Normali come mia madre, suo padre (con la moglie creola e i suoi marmocchi mulatti), come gli studenti che non avevano saputo tenergli testa, gli amici (se mai ne aveva avuti) o le donne che non avevano avuto il coraggio di seguirlo, di colonizzare assieme a lui gli avamposti del nulla.

Sì, è vero, nella mia indecisione, c'era anche il timore del suo disprezzo, non ero pronta a subire alcun tipo di umiliazione da parte sua. In fondo era (almeno così credevo allora) l'unico parente che avevo al mondo, il più stretto. Nel bene e nel male, il cinquanta per cento dei miei geni lo dovevo a lui.

In quei mesi avevo iniziato a mettere a fuoco i dettagli che ci accomunavano, regolando il cannocchiale ne vedevo sempre di più: per questo, mi dicevo, non me la sento di interrompere bruscamente il nostro rapporto. Quando sarà il momento giusto, andrò da lui e – con calma e lucidità – gli elencherò, uno ad uno, i motivi del mio disprezzo. Sarò io a decidere di troncare, non viceversa. L'ultima cosa che desideravo era di finire come mia madre, abbandonata per strada come una valigia dal manico rotto.

Con l'esplodere dell'estate tutta la stanchezza di quell'anno – la tua malattia, la tua morte, l'incontro con mio padre – aveva preso il sopravvento, trasformandomi in uno straccio per pavimenti. L'unica cosa che desideravo fare era starmene sola, sdraiata da qualche parte, senza cibo, senza parole, a riprendere le forze come una pianta in inverno o come una marmotta che aspetta lo sciogliersi delle nevi.

Erano ormai tre settimane che avevo interrotto le mie visite a Grado.

Un tardo pomeriggio è suonato il telefono. Era lui. Con una voce strana – dov'era finita la sua beffarda impassibilità? – mi reclamava: «E allora? Non vieni più?».

Mi sono giustificata, senza quasi rendermene conto.

«Non sto molto bene. Appena mi sento meglio, vengo.»

Perché non avevo avuto la prontezza di dirgli "vengo quando mi pare" e soprattutto "se mi va"?

Per quale motivo dovevo sentirmi in colpa verso una persona che avevo visto una decina di volte, un uomo che non era mai stato colto, non dico da un senso di colpa, ma neppure dall'ombra sfocata di un rimorso, un seduttore che si era sempre comportato come se ogni suo gesto fosse senza conseguenze?

Non sono andata né la settimana dopo né quella dopo ancora, anche se mi sentivo meglio, e non l'ho neppure avvisato. Il telefono ha squillato per tre giorni sempre alla stessa ora, nel tardo pomeriggio, senza che io mi sognassi di allungare il braccio e rispondere. Evidentemente mi stava cercando, senza riuscirci. La sua ansia mi procurava una sorda soddisfazione.

Il quarto giorno ho risposto.

«Sei tu?» ha esordito.

C'era esitazione nella sua voce, quasi timore, sembrava la voce di un vecchio. Forse aveva bevuto perché il timbro oscillava come la fiamma di una candela esposta alla corrente.

Aspettavo che mi dicesse qualcosa, che mi chiedesse come stavo, se ero guarita e invece, dopo un pesante sospiro, ha detto: «Qui non si può più stare, è diventato una follia, è pieno di bambini che piangono, di televisori che urlano, le scale sono invase da donne grasse con il mestolo in mano, gli uomini fanno bricolage con i trapani; invece di uccidere le mogli usano il decespugliatore per uccidere i nervi dei vicini. Sai cos'è diventato il mio avamposto? Il preludio di una modesta apocalisse. Ogni anno è la stessa cosa, anzi peggiora sempre. Per fortuna ho un amico che durante l'estate mi lascia il suo appartamento a Busto Arsizio, è lì che si sposta l'avamposto, d'estate. Sto partendo, volevo lasciarti l'indirizzo, casomai...».

«Cosa?»

«Casomai ti andasse di passare. C'è anche un telefono... hai da scrivere?»

«Sì» ho risposto, scribacchiando il suo numero su un vecchio scontrino.

«Ricordati però di fare squillare tre volte. Tre volte e poi riattacchi. Altrimenti non rispondo. Permetto a pochi di raggiungermi.»

«Lo so.»

«Senti...» il tono aveva acquisito una nota di fragilità quasi inquietante: «volevo dirti ancora una cosa...»

«Sì?»

Urla feroci di bambini lo avevano interrotto, sovrastate da un'improvvisa musica rap a tutto volume.

«Un'altra volta... non ce la faccio più, scappo!»

Con il verbo della fuga – il suo preferito – ha riagganciato.

A quel "volevo dirti ancora una cosa" il mio cuore aveva accelerato i battiti, mi aspettavo una rivelazione, un'ammissione, un ricordo, un pentimento: qualcosa che portasse la nostra storia nelle banali vie dell'umano, che mi autorizzasse a non chiamarlo più Massimo ma papà.

Forse, invece, aveva soltanto voluto dirmi che se ne andava, ma non era già questo l'inizio di un cedimento? Ti dico dove sono perché ho bisogno di te, perché mi aspetto di essere trovato, perché non riesco più a vivere senza la tua voce, senza il tuo sguardo?

Dopo la telefonata, sono scesa in giardino.

L'aria era satura di ozono e da est sopraggiungevano veloci e minacciose le nubi di un grosso temporale già squarciate, in lontananza, da fulmini che illividivano l'orizzonte. Un vento asciutto – che precede la tempesta – scuoteva le rade chiome dei pini neri facendone crepitare i rami, per poi abbattersi sui frutti dorati del susino che cadevano a terra con i tonfi dei corpi ricchi di acqua. Dal lato opposto, il sole stava già scomparendo e quello che si salvava dalla normale rotazione terrestre, veniva inghiottito dalle nubi in corsa.

Presto si sarebbe scatenata la tempesta sull'altipiano, ma nella mia mente e nel mio cuore era già iniziata, aveva strappato i fili e l'elettricità correva per ogni dove come un folletto impazzito di gioia.

5.

Quando un aereo cade la prima cosa che si va a cercare è la scatola nera, la stessa cosa avviene, pare, anche per i treni. In quel piccolo spazio viene registrato tutto – dalla traiettoria, alle manovre, ai fattori anche minimi che hanno contribuito a turbarlo: le indecisioni e i deragliamenti, le oscurità e gli schianti. Nell'uomo, questo compito è affidato alla memoria. È il ricordo che costruisce l'essere umano, che lo situa nella storia – nella sua personale e in quella più grande del mondo che gli sta intorno – e le parole sono le tracce che lasciamo dietro di noi.

Le parole sono come le impronte che trovi su una spiaggia all'alba. Di notte, tra quelle dune, c'è stato un gran viavai di volpi, topi, corvi, gabbiani, daini, cinghiali, limicoli, granchi e anche di quei piccoli coleotteri neri che, come signore sempre in ritardo, scivolano rapidamente tra i granelli. Tutti passano nel buio e lasciano tracce. Alcuni si incontrano e si annusano curiosi, altri atterrano e poi spiccano il volo, i più sfortunati vengono divorati, altri ancora si accoppiano o si sgranchiscono semplicemente le zampe; i granchi, inabissandosi, costruiscono castelli di sabbia, le tracce dei limicoli hanno la durata di un'onda mentre i coleotteri lasciano dietro di sé sulla rena lunghe strisce ordinate, rendendo facile il risalire alle loro tane.

E tu, da quale tana sei uscito, dove vai?

Forse però, prima di chiederci dove stiamo andando, dovremmo scoprire da dove veniamo.

Se il coleottero non sa a che specie appartiene come fa a comportarsi nel modo giusto, a decidere se deve mangiare sterco, polline, o animali morti?

Un animale sa di cosa si è nutrito nella sua lunga e sonnolenta infanzia, è il gusto di quel cibo a guidarlo nelle sue scelte, così è anche in grado di riconoscere la sua tana e il motivo che lo spinge ad uscire: è tutto scritto nei suoi geni.

Nell'uomo invece le cose si complicano.

Siamo simili nelle funzioni fisiche, ma diversissimi per tutto il resto. Ognuno di noi ha una storia che è solo sua e che affonda le sue radici molto lontano, nei nonni, nei bisnonni, nei trisavoli e su, ancora più su, sempre più su fino ad arrivare ai primi uomini, al momento in cui – invece di comportarci come i coleotteri – abbiamo cominciato a scegliere.

Che scelte hanno fatto i nostri antenati? di quali fardelli ci hanno gravati? E perché tanta differenza nei pesi? perché c'è chi corre leggero come una piuma e chi, invece, non riesce a staccarsi da terra?

Con questi pensieri sono salita nuovamente in soffitta. Il sole estivo aveva cominciato a scaldare l'aria e per non soffocare avevo aperto la finestrella del sottotetto. Mi sono seduta a gambe incrociate davanti alla valigia aperta: non era rimasto granché sul fondo, alcune lettere dall'aria polverosa e un quadernetto dall'aspetto più recente abbandonati come coriandoli dopo una festa di carnevale; erano le ultime tracce, le increspature lasciate dal coleottero prima di giungere alla tana.

Dove mi avrebbero portato quei fogli?

Avevo paura della delusione, magari non erano che un mucchio di banali lettere inviate dai bisnonni da una qualche località termale *"le cure fanno effetto... si mangia bene... torniamo giovedì con il treno delle otto"*.

Le ho portate di sotto e le ho disposte in fila ordinata sul tavolo, ma ormai era tardi: non me la sentivo di aprirle sulla sponda del giorno, così ho deciso che avrei atteso la luce del mattino.

A letto, disturbata dalla musica di qualche sagra estiva, non riuscivo a prendere sonno; verso l'una ho guardato la sveglia, nell'aria risuonavano le note di *Bandiera rossa*; soltanto alle tre il silenzio è sceso sull'altipiano, solcato a tratti dal rombo di qualche Tir. In lontananza, avvertivo, seppur flebile, il tintinnio delle sartie delle barche a vela ormeggiate nel porto, sembravano eseguire un piccolo concerto al soffio di un lieve borino estivo.

Che musica è mai questa? mi sono chiesta, addormentandomi: la sinfonia della partenza o quella del ritorno?

Sulla copertina del quaderno, un paesaggio invernale: in primo piano le orme di un leprotto nella neve, al centro, alberi dai rami abbondantemente imbiancati; sullo sfondo, a chiudere l'orizzonte – sotto un cielo terso e luminoso – una catena di monti scintillanti di ghiaccio. Era un semplice quaderno adatto a contenere degli esercizi di latino o il conteggio delle spese di una casa. Forse per questo l'ho aperto con leggerezza.

Una leggerezza che si è trasformata in gelo non appena ho visto la scrittura di mia madre.

Poesie c'era scritto nella prima pagina. Non avevo provato imbarazzo nello sfogliare il suo diario, né a leggere la lettera a mio padre, adesso invece, davanti a quel quaderno, mi sentivo turbata e intimidita: non avevo mai immaginato una vena lirica in mia madre.

C'erano molti componimenti – alcuni brevi, altri molto lunghi. Ne ho letti alcuni, sfogliando qua e là.

Non sarò mai un fiore

Non sarò mai un fiore
che in primavera offre la sua corolla al sole.
Non sarò mai un fiore
perché il mio spirito è più simile all'erba
un filo verde uguale a mille altri
alto come gli altri, che china il capo
al primo gelo dell'inverno.

Nebbia

La nebbia avvolge tutto: case e persone,
neppure le biciclette fanno rumore.
Il nostro è un mondo di fantasmi
o sono io il fantasma?
Il mio cuore è avvolto nell'ovatta
un dono prezioso
che non ha destinatario.

Paura

Non sono i mostri a farmi paura
né gli assassini.

Non ho timore della notte,
né di alluvioni né di cataclismi
non dei castighi né della morte
o di un amore che non esiste.
Ho paura soltanto
della tua piccola mano
che cerca la mia,
del tuo tenero sguardo
che dal basso mi chiede "perché?".

La vista mi si è offuscata, ho sentito qualcosa premere in mezzo allo sterno: sembrava un'asta, uno di quei paletti acuminati che servono ad uccidere i vampiri. Una mano la spingeva con forza per squarciare la mia cassa toracica.

Sarebbe stato bello

Come sarebbe stato bello
che la nostra vita fosse felice
come una canzone di Sanremo.
Io e te, mano nella mano,
e, sulla finestra, una cassetta di lillà.
Come sarebbe stato bello
aspettare insieme il tramonto
e non temere la notte.
Come sarebbe stato bello
guidare i passi dei nostri figli
con un'unica mano.
Ma l'orco è venuto a divorare
il nostro poco tempo
lasciando a terra solo ossa e le bucce,
i resti del suo osceno banchetto.

Il paletto è avanzato ancora di un tratto, penetrando nel diaframma, se avesse deviato un po' a sinistra avrebbe perforato il pericardio.

Era quella mia madre? Dov'era finita la ragazza inquieta e superficiale del diario, la donna confusa e disperata della lettera? Doveva avere scritto quelle poesie poco prima di morire ma sembravano comunque pensieri di una persona diversa.

Avevo sentito dire che, in prossimità della fine, tutto diventa più chiaro, accade anche se non sappiamo di avere i giorni contati – a un tratto si squarcia un velo e vediamo con chiarezza ciò che fino a quell'istante era rimasto nell'ombra.

Mia madre aveva aderito pienamente al suo tempo, si era lasciata trascinare da quella corrente collettiva senza sospettare l'incombente voragine del precipizio. Cresciuta senza solide radici, era stata investita dall'impeto delle rapide, non era un salice che poteva venir travolto dalla piena e restare al suo posto ma davvero un umile filo d'erba, come diceva nella sua poesia. La zolla su cui era nata era precipitata nei flutti, consegnandola a una navigazione solitaria. Forse soltanto davanti al frastuono della cascata, che di lì a poco l'avrebbe scaraventata nell'ignoto, ha avuto il rimpianto di quelle radici mai avute.

In fondo, ho pensato, la struttura di un uomo non è molto diversa da quella di un terreno carsico: in superficie si susseguono giorni, mesi, anni, secoli di un tempo storico in continua trasformazione – passano macchine o carrozze là sopra, semplici gitanti o un esercito in disfatta – ma, sotto, la vita rimane intatta, sempre uguale a se stessa: non ci sono variazioni di luce né di temperatura in quelle caverne oscure, niente stagioni né mutamenti, i protei sguazzano felici se fuori piove o c'è il sole e le stalattiti continuano a scendere verso le stalagmiti come innamorati separati da una divinità perversa. In quel mondo creato dall'acqua tutto vive e si ripete con un ordine pressoché immutato.

Così mia madre aveva vissuto con fervore gli anni della rivoluzione e, per aderire a quel sogno, aveva stravolto i suoi stessi sentimenti: era più importante, allora, l'approvazione del gruppo.

Procedevano compatti sulla prua di un'immaginaria nave rompighiaccio, spezzando la crosta ottusa della superficie, lo sguardo fisso all'orizzonte luminoso della giustizia universale. Continuando a navigare sarebbero infine approdati a un mondo nuovo, una terra in cui il male non avrebbe avuto più ragione di esistere e la fratellanza avrebbe regnato sovrana. La grandezza di quel compito non permetteva tentennamenti né indecisioni, bisognava andare avanti uniti, senza individualismi, senza rimpianti, battendo un unico passo come le formiche africane, capaci di divorare un elefante in pochi istanti.

Ad un certo punto, però, lei doveva in qualche modo essersi staccata dal gruppo. Mentre molti dei suoi compagni imbracciavano letteralmente le armi, mia madre aveva scelto la strada solitaria dell'introspezione. Stava affogando nella fragilità, nella confusione e il signor G. le era apparso come la prima boa a cui aggrapparsi. La sosteneva, permettendole di galleggiare e questo, per lei, doveva essere più che sufficiente. Per un po' le matasse di stelle, con gli irrisolti legami karmici tarpati dal paternalismo e dal capitalismo, le avevano permesso di andare avanti.

Ma sotto quell'apparenza, sotto la durezza della

scorza ideologica e la confusa aspirazione a un'astratta armonia universale, c'era in realtà una giovane donna che, nella parte più nascosta del suo essere, sognava comunque l'amore.

Nelle cavità profonde, il fiume continuava a scorrere ed era quell'acqua la vera sorgente di vita, capace di dissetare, nutrire, fecondare, far crescere e unire tra loro gli esseri umani in ogni luogo della terra. Perché è l'amare e l'essere amato, non la rivoluzione, l'aspirazione più profonda di ogni creatura che viene al mondo.

6.

Sono molti i fattori che fanno ammalare gli alberi, ancora di più quelli che debilitano gli uomini.

Quando, in un albero, la malattia va troppo in là è difficile salvarlo: marciscono le radici, si gonfia il tronco, il ricambio si interrompe e le foglie cadono private della linfa.

Quando si ammala un uomo si pensa subito a un virus o a un batterio, che probabilmente c'è, ma nessuno si chiede da dove viene, come mai si è insinuato là dentro, perché proprio oggi e non un mese fa, in quella persona e non in quell'altra che magari era molto più esposta al rischio di un contagio? Perché, a parità di cure, uno guarisce e un altro soccombe?

Basta che un fulmine sfiori la corteccia di una quercia secolare per innescarne la distruzione: in quel varco si insinuano batteri, funghi e coleotteri destinati in breve a propagarsi a discapito della sua vita.

Gli alberi da frutto diventano fragili quando perdono la verticalità: un pino può crescere anche se è piegato dal vento ma non un albicocco: è la perpendicolarità perfetta al suolo a permettergli di vivere e fruttificare.

Per distruggere un uomo, per farlo ammalare, invece, cosa ci vuole? E per guarirlo? Che significato ha una malattia nel corso di una vita? Dannazione? sfortuna? o forse un'occasione improvvisa, un dono prezioso che il cielo ci offre?

Non è la malattia, forse, il momento in cui ci viene consegnata una lampada?

Era l'immagine della lampada a tornarmi sempre in mente nelle lunghe settimane trascorse in ospedale: mi vedevo come uno gnomo delle fiabe, con una lanterna in mano, che tenta di esplorare uno spazio ignoto; non sapevo dove stavo andando, mi aggiravo con passi timorosi tra le robuste radici di alberi secolari, nella tana di una talpa o all'interno del labirinto di una piramide; procedevo cauta, impaurita ma anche impaziente: intuivo che prima o poi sarei giunta a una porta sconosciuta e più mi avvicinavo più mi rendevo conto che proprio là dentro avrei trovato il tesoro; dietro la porta, come quella aperta da Aladino, erano custoditi interi bauli di perle, di pietre preziose e di lingotti d'oro, solo per me; non sapevo chi li avesse nascosti né per quale ragione, il mio unico desiderio era trovarli, portarli fuori e vederli risplendere alla luce del sole.

Mia madre era morta. Stravolta da qualcosa che mi era oscuro, aveva deciso di lanciare la sua auto contro un muro ma, prima di mettere in atto il suo piano, aveva voluto scrivermi poche righe firmandosi per la prima volta *mamma*. Accettare il suo ruolo e morire era stata per lei un'unica cosa.

Mio padre si aggirava con la sua macchina scassata tra i centri commerciali di una Busto Arsizio deserta, senza altro conforto che i suoi pensieri, sempre più solo, sempre più disperato, avvolto dalla sua intelligenza come in una gabbia di plexiglas.

Tu eri morta da troppo poco tempo; all'immagine che avevo di te da piccola si sovrapponeva spesso il tuo volto devastato dall'ira per la presenza degli ufo.

In quella casa deserta – dove rimbombavano unicamente i miei passi – cominciava a mancarmi sempre più il fiato.

Una notte mi sono svegliata di colpo come se qualcuno mi stesse schiacciando la carotide, annaspavo come un subacqueo rimasto troppo a lungo in apnea. Da quel momento il respiro è stato sempre meno, di giorno sentivo i polmoni rattrappirsi e crepitare come due spugne secche, sarebbe bastato una pressione minima per sbriciolarli.

Fuori, il caldo diventava torrido e io cercavo nella psicologia la spiegazione del mio crescente malessere: fatico a respirare perché ho troncato il cordone ombelicale, mi ripetevo.

A settembre, però, quando ormai mi ero accorta di abitare i vestiti invece che indossarli, ho deciso di andare dal dottore. E dal dottore all'ospedale è stata un'unica strada: un virus si era installato negli alveoli e lì si era riprodotto con allegria. Una polmonite senza febbre, senza tosse, ma non per questo meno capace di uccidere.

Il tempo dell'ospedale non è stato un periodo infelice, c'era sempre qualcuno ad accudirmi e a distrarmi senza mai farmi muovere dal letto. Ho stretto amicizia con un paio di signore ricoverate nella stessa stanza: erano strabiliate che nessuno venisse mai a trovarmi.

Il giorno in cui sono uscita ci siamo scambiate indirizzi e false promesse di rivederci.

Era la seconda settimana di ottobre, camminavo

per le strade come in un sogno, la violenza dei rumori e dei movimenti mi stordiva, muovevo i passi con fragilità, con incertezza.

In giardino la nostra rosa era fiorita – un fiore piccolo, rappreso, già pronto ad affrontare il gelo – il prato cominciava a diventare giallo e nella ciotola di Buck, colma di acqua piovana, navigavano i cadaveri di alcune vespe e di un calabrone. Era bastato un mese di assenza perché, in casa, l'odore di chiuso e di umidità prendesse il sopravvento.

L'autunno era davanti a me; intorno, il vuoto. Già sentivo la bora arrotolarsi al di là dei Carpazi, la udivo scendere, avvolgermi con il suo fischio e penetrarmi fin dentro le ossa del cranio.

Non potevo sopportare di passare qui un altro inverno. Mi sembrava di aver vissuto vent'anni in pochi mesi, ero troppo stanca per andare avanti.

Avrei certo potuto inventarmi qualcosa: trovare un lavoro, iscrivermi ad un'università, sperimentare un amore ma avrei fatto tutto con una mano sola, con un solo occhio, con mezzo cuore soltanto.

Sapevo, infatti, che non di scelte si sarebbe trattato ma di fughe, scantonamenti, di coperchi appena posati sulla pentola. Una parte di me sarebbe stata lì ad interpretare la finzione e l'altra avrebbe continuato ad andare in giro per il mondo, percorrendo le strade con i passi mezzo vuoti del Golem, si sarebbe tuffata in ogni voragine, in ogni oscurità; avrebbe atteso con umiltà fiduciosa davanti a ogni porta chiusa, come un cane che attende un padrone ancora sconosciuto.

Volevo luce, splendore.

Volevo scoprire se la verità esiste, se è quello il perno attorno al quale tutto ruota come in un caleidoscopio, oppure morire.

La mattina in cui sono andata a fare il biglietto ho assistito a uno strano fenomeno: malgrado il mare fosse calmo, centinaia e centinaia di sogliole risalivano il Canale nuotando in superficie come tappeti volanti per finire ad accalcarsi sotto la chiesa di Sant'Antonio senza possibilità di procedere oltre.

Sul ponte, una piccola folla di curiosi osservava stupefatta quell'insolita forma di suicidio collettivo: di che cosa si trattava? Era un segno del cielo? È esploso un sottomarino nucleare? o forse una potenza militare straniera sta sperimentando una nuova forma di arma tossica?

Qualche pescatore aveva cominciato a issare le sogliole con dei secchi sulle barche. «Ma si potranno mangiare?» bisbigliava la gente sottovoce. «Che ne sappiamo di quello che succede davvero nel mondo?»

Davanti ai loro occhi i pesci, guizzando ventri e code, agonizzavano e morivano uno dopo l'altro, mentre i gabbiani con alte strida solcavano l'aria: era tutto uno sfrecciare di sagome bianche che si buttavano a capofitto dai tetti o sopraggiungevano con volo rettilineo dal mare come stormi di bombardieri. La superficie dell'acqua vibrava di un'energia di morte, appena un gabbiano si sollevava con la preda nel becco, gli altri gli si buttavano addosso per sopraffarlo, inseguendolo implacabili nell'aria.

Da curiosa la scena si era ormai fatta inquietante, le mamme non indugiavano più sul ponte con i bambini e i capannelli di pensionati si scioglievano in silenzio.

La vita della città, intanto, continuava nella sua quotidiana normalità: lungo le rive, la solita fila di macchine che aspettavano il verde del semaforo; al porto una nave da crociera al traino di un rimorchiatore compiva le usuali manovre d'attracco; una musica assordante (proveniente da un negozio di abbigliamento giovanile) accompagnava il pigro rito delle bancarelle di uno sparuto gruppo di persone a Ponterosso.

Il cielo mandava segni ma nessuno sapeva coglierli, pensavo varcando la soglia della compagnia di navigazione che si affaccia proprio sul Canale.

La prima partenza disponibile sarebbe stata da lì ad una settimana, per il posto non c'era problema, mi aveva rassicurato l'impiegata: al giorno d'oggi chi è così matto da perdere cinque giorni per andare in un luogo che si può raggiungere con due ore di aereo?

Ho prenotato una cabina delle più economiche, bassa e interna.

Tornando a casa, mi sono accorta di camminare con maggior leggerezza, la decisione di partire mi faceva guardare alle cose con distacco, quasi con nostalgia. In quegli ultimi mesi non avevo più curato il giardino, le aiuole si erano riempite di erbacce, gli arbusti si incrociavano in modo scomposto, le ortensie, i fiori ormai secchi e bruniti dalla stagione, sembravano un raduno di vecchie maestre con i cappellini in testa, mentre una coltre di foglie copriva quasi interamente il prato.

Erano una tua ossessione, le foglie. Le foglie e le erbacce. Quante volte abbiamo litigato su questo! Tu pensavi che fossero fattori di disturbo e in quanto tali andassero eliminate, io invece ero convinta che fossero entrambe necessarie. Allora tu mi rinfacciavi di essere pigra ed io, di contro, ti accusavo di trattare gli alberi e le piante come una massa di ignoranti.

«Se le foglie cadono» ti dicevo «di sicuro c'è una

ragione, la natura non è mica stupida come gli uomini e quelle che tu chiami erbacce non sanno di esserlo; sei tu a giudicarle e condannarle, ma loro si ritengono fiori ed erbe, belle e importanti come tutte le altre.»

«Non vedi l'anima del giardino» ti ho gridato un giorno, esasperata «non vedi l'anima di un bel niente!»

Ho cominciato, con calma, i preparativi per la partenza; per prima cosa sono andata in banca a cambiare del denaro, poi ho fatto qualche lavatrice e messo negli armadi l'antitarme; per evitare un'invasione di larve ho chiuso il riso, la farina e la pasta in tante scatole ermetiche; ho spostato, per la stessa ragione, i mobili della cucina temendo che qualche avanzo di cibo rimasto negli interstizi permettesse a plotoni di bruchi neri di colonizzare il pavimento e il soffitto.

Gli ultimi due giorni, con ordine piuttosto meticoloso, ho sistemato i vestiti e le cose necessarie per il viaggio nella valigia; da ultimo, sopra tutto ho appoggiato la vecchia Bibbia senza copertina trovata in soffitta.

Mio padre non si era più fatto vivo, ormai la stagione balneare era finita e doveva aver fatto ritorno a Grado Pineta. Non avevo voglia di chiamarlo, così gli ho scritto un biglietto.

Caro papà mi sembrava stonato, e così il primo foglio l'ho accartocciato, nel secondo ho scritto semplicemente: *Parto. Vado nella terra dei tuoi avi e dei miei*, aggiungendo, sotto, l'indirizzo del luogo dove, con ogni probabilità, avrei alloggiato.

La nave è salpata verso sera dopo aver inghiottito un'interminabile fila di Tir albanesi e greci; non c'era ristorante a bordo ma soltanto un self service, gli arredi erano di plastica giallastra e la luce al neon imprimeva una cera di morte su ogni volto che illuminava.

A parte i camionisti, con me viaggiavano due pullman di pensionati israeliani di ritorno da un viaggio in Europa: avevo visto portar su le casse con le loro pentole e le loro posate dal ventre della nave.

Sono salita sul ponte a guardare la città che si allontanava.

Il rimorchiatore si era affiancato allo scafo per caricare il pilota. La luce del faro rimbalzava regolarmente sulla superficie del mare, l'acqua nera e calma sembrava un'infinita e minacciosa distesa di inchiostro.

Sopra di noi brillavano le stelle, le stesse che, più di venti anni prima, avevano vegliato su mia madre e sulla mia piccola vita che cresceva nel suo ventre. Il rumore dei potenti motori, nei pochi istanti in cui riuscivo a non pensare a quello che c'era sotto di noi, mi sembrava quasi rassicurante.

Chissà se le stelle hanno occhi, mi chiedevo, se ci vedono così come noi guardiamo loro, chissà se hanno un cuore misterioso, se – come da sempre pensa l'uomo – hanno la capacità di influenzare le nostre azioni. Chissà se davvero tra i loro lembi incandescenti vivono i morti, i non più vivi quaggiù, coloro che hanno già lasciato una delle forme del corpo.

Quand'ero molto piccola, prima di andare a letto, insistevo per affacciarmi alla finestra e salutare la mamma che, mi avevi detto, si era trasferita a vivere lassù; se le nuvole, certe sere, coprivano il cielo scoppiavo in singhiozzi. La immaginavo come una fata dal lungo e leggero vestito di chiffon colorato, in testa un cono luminoso, coperto di stelline, il volto sereno, leggermente divertito e, al posto delle gambe, un'unica scia luminosa: solo così poteva seguirmi svolazzando di stella in stella.

Ormai di lei, invece, nella cassa di zinco non era rimasto quasi niente; anche tu, là sotto, ti stavi dissolvendo come sarebbe successo a me, un giorno.

Che senso avevano dunque le nostre vite, i sogni di mia madre su di me e i tuoi su tua figlia? Era quello di inseguire delle ombre il nostro destino o, dietro alla vacuità, si nascondeva un senso?

Perché voi – tu, tua madre, mio padre – avevate abbandonato le vostre radici? Per paura, per pigrizia, per comodità? o forse per essere liberi, moderni?

Quando l'avevo chiesto a mio padre mi aveva risposto che l'ebraismo in realtà non era altro che un cumulo di consuetudini antropologiche e di collanti sociali e, per corroborare la sua tesi, aveva fatto l'esempio di suo padre – devotissimo finché lavorava con il suocero a Venezia e frequentava la sua casa – pronto poi a ballare la samba senza alcun rimpianto appena sepolta la moglie in Brasile.

Invece tu, una volta, mi avevi detto che eravamo senza religione. Non stavamo più di là, ma neppure di qua. Vedendomi preoccupata avevi aggiunto: «Non è mica un male, sai. Anzi, è un bene. Essere libero in fondo è l'unica ricchezza che ha l'uomo».

È per questo che la mia anima è simile a quella di un cane? è per questo che, da sempre, mi aggiro per le strade scossa dall'inquietudine feroce dei senza padrone?

Radici

I.

Dopo sei giorni di navigazione tranquilla siamo arrivati nel porto di Haifa.

Guardandola avvicinarsi dal ponte, ho avuto l'impressione di una strana familiarità con Trieste: alle sue spalle, al posto del Carso, di cui sembravano condividere la pietrosità, si ergevano i contrafforti del monte Carmelo; ovunque si inerpicavano palazzi a molti piani: i più recenti erano anche i più sgraziati; sulla parte sinistra, dove la collina cedeva il posto alla pianura, da una serie di stabilimenti industriali densi fumi si innalzavano mescolandosi alle fiamme di una raffineria.

Haifa non ha però un lungomare come quello di Trieste; al posto delle rive e di piazza Unità sorgono banchine di attracco delle navi da trasporto sovrastate da una sequela di gru gialle dalle lunghe braccia sospese. Sotto di loro, decine e decine di container di tutti i colori giacevano impilati gli uni sugli altri.

Anche se gli uomini dell'antiterrorismo erano già saliti a bordo al porto di Limassol, le operazioni di sbarco si erano rivelate lunghissime. Nell'attesa di poter sbarcare, mi sono soffermata sul ponte a fissare uno strano edificio che si stagliava alla sommità della collina, incorniciato da giardini terrazzati che digradavano verso il mare: per la cupola tonda e dorata che lo sovrastava sembrava una moschea ma senza un minareto accanto.

«Che cos'è?» ho chiesto, rivolgendomi a una signora di Ashkelon che avevo conosciuto durante la traversata.

«Quello? È il tempio Baha'i» e aveva sorriso come per dire: ci mancava anche questo. Custodiva infatti la tomba di Baha' Allah, un persiano che nella seconda metà dell'Ottocento aveva voluto staccarsi dall'Islam e fondare un proprio movimento religioso sincretico, ispirato all'amore universale tra gli uomini di tutte le fedi e di tutte le etnie.

Scendendo a terra, mi sono resa conto che lo zaino che portavo sulle spalle era pesante come il secolo che stava finendo, che era arrivato il momento per me di fermarmi e guardare quello che conteneva, tirare fuori – uno ad uno – tutti i sassi e dare finalmente loro un nome, catalogarli e poi decidere se era il caso di portarli con me o invece di abbandonarli.

A un tratto, su quel suolo sconosciuto eppure così familiare, ho capito che la nostra è anche la storia di quelli che ci hanno preceduto, delle azioni che hanno scelto di fare o di non fare. Sono state quelle scelte che hanno costruito, come il carbonato di calcio in una grotta, l'invisibile struttura della nostra persona.

Un bambino che nasce non è una lavagna bianca su cui si può scrivere qualsiasi cosa, ma una tovaglia in cui qualcuno ha già teso la trama di un ricamo: percorrerà quella strada già segnata da altri o ne sceglierà una diversa? continuerà a calcare il solito solco o avrà coraggio di saltarne fuori a piè pari? E perché uno spezza l'ordito del disegno e l'altro lo completa con cieca diligenza?

È poi davvero solo nostra questa vita, è questo l'unico spazio di luce che ci è dato attraversare? non è forse una crudeltà troppo grande giocarsi tutto in una sola esistenza? capire, non capire, sbagliare, scontrarsi? Un solo battito separa la nascita dalla morte, apriamo la bocca per dire "oh!" per l'orrore, "oh!" per lo stupore e poi è tutto finito? Dovremmo rassegnarci a stare in silenzio, porgere il collo come ennesime vittime sacrificali? venire al mondo e poi sprofondare nella morte come un castello di carte che, in silenzio, ricade su se stesso?

E chi decide le parti, prima della recita? A me, quale toccherà: quella della vittima o quella del carnefice? o forse invece è tutto un susseguirsi di chiaroscuri?

Uccidere o venir uccisi: chi lo decide? Forse chi si trova nel cono di luce; ma quelli in ombra, cosa fanno? e io, in quale porzione della scena mi trovo? Davvero tutto si svolge come su un palcoscenico: entrare, uscire, scordarsi la battuta, sbagliarla? E dove finiscono allora i rantoli delle vittime, dove il sudore freddo delle loro agonie, dove il sonno dei carnefici, le loro notti ottuse, abitate soltanto dalla fisiologia? C'è qualche luogo in cielo che li contiene – un catalogo, un archivio, una memoria cosmica? e magari, oltre a un registro, anche una bilancia, qualcuno che pesa le esistenze: il piatto di destra, quello di sinistra, il modo in cui si bilanciano – qui le azioni, lì il contrappeso del giudizio? Fiammeggia la spada di Michele saettando nell'aria o è il sibilo del nulla che attraversa lo spazio?

O forse l'universo non è che un enorme rumine abitato solo da buchi neri che assorbono, triturano ogni forma di energia? È in questo moto infaticabile di masticazione-assorbimento-escrezione, in questa sinfonia di succhi gastrici, l'unico senso del mondo?

Ma quando il rumine si ferma, la mucca muore.

E l'universo?

Siamo proteine, minerali, aminoacidi, liquidi, reazioni enzimatiche e nient'altro? larve biancastre, che si dimenano, che divorano e che vengono divorate? Ma anche la larva conosce la dignità della trasformazione, dai suoi tessuti molli può uscire l'inatteso splendore di una farfalla.

E se la parola magica fosse proprio "trasformazione"? se il buio esistesse proprio per accogliere la Luce?

2.

Tra tutte le storie, quella dello zio Ottavio era la più fumosa. Me ne avevi fatto solo un accenno una sera sul divano, tirando fuori da una cassa le foto di famiglia. Quanti anni avevo? Dieci, dodici, era già il periodo in cui l'assenza di un volto (quello di mio padre) cominciava a tormentarmi; non potevi mostrarmelo, perché non sapevi chi fosse, ma forse, in quel modo, cercavi di tappare la falla che si stava aprendo al mio interno.

Ricordo un susseguirsi di immagini anonime emerse da un'epoca che mi pareva di poco posteriore a quella dei dinosauri.

Su tutte, la più fotografata era la grande villa bianca, circondata da un parco, che ti aveva visto crescere: faceva da sfondo a una riunione di famiglia, domestici inclusi, in posa per una partita di cricket e a molti altri scatti, come quello del tuo cane Argo, dallo sguardo intelligente, sdraiato davanti all'ingresso della serra. Immagini della villa nel suo splendore estivo, con pergolati di rose intorno e persiane aperte su poggioli fioriti, e poi una della stessa villa distrutta dai bombardieri: un cumulo di macerie sotto un fumo nero.

In molte c'eri tu da bambina, con un grande fiocco in testa; tu, con i tuoi genitori nello studio di un fotografo davanti a un aulico fondale dipinto; poi tua madre, da sola, in posa mentre canta. Diverse foto erano dedicate a bambini – tutti rigorosamente vestiti alla marinara, con in mano cerchi o minuscoli violini e stivaletti abbottonati fin sopra la caviglia – di cui con buona volontà mi elencavi nome e grado di parentela senza riuscire a suscitare in me il benché minimo interesse. Cosa mi importava di tutti quei personaggi che sembravano usciti da un film in costume o di quella sontuosa villa sparita nel nulla il giorno in cui un qualsiasi Mike dell'Alabama aveva deciso di premere il propulsore del suo cacciabombardiere?

Una volta, passando in macchina accanto al luogo dove era sorta, mi avevi mostrato un solitario cedro annegato tra decine di tristissimi palazzi anneriti dal fumo della ferriera.

«Lo vedi? Sui suoi rami più bassi stava appesa la mia altalena.»

Quella conifera coperta di fuliggine era l'unica superstite del grande parco che proteggeva la vostra villa.

Lo zio Ottavio era il fratello di tua madre, me lo avevi indicato in una foto seduto al pianoforte accanto alla sorella che, in piedi, cantava una romanza. Era l'unico (in una famiglia nella quale tutti più o meno suonavano per diletto) che aveva fatto della musica la propria professione diventando un apprezzato pianista. Girava l'Europa esibendosi in concerti e, quando stava a casa, passava la maggior parte del tempo nel salone a esercitarsi.

Non lo sopportavi, così mi avevi detto, ma forse era solo invidia per il suo talento, avevi aggiunto, visto che tu di talenti non ne avevi nessuno. Si era sposato (piuttosto tardi per i tempi) con un'arpista di

Gorizia e, a una certa distanza uno dall'altro, avevano avuto due figli, una femmina e un maschio.

La maggiore, Allegra, aveva ereditato la predisposizione alla musica dei genitori e, finito il conservatorio a Trieste, si era trasferita in America per perfezionare i suoi studi di viola. Il più giovane, Gionata, alla fine della guerra era andato in Israele.

«Perché in Israele? Si è forse innamorato?» ti avevo chiesto con la mia ansia di normalità.

Ti eri subito irrigidita: «Innamorato?». Poi, con lo sguardo lontano, avevi aggiunto: «Sì, forse... in un certo modo... comunque è una storia lunga, e anche un po' triste: troppo lunga e troppo triste per una bambina che deve andare a dormire».

A nulla erano valse le mie proteste. Amavo le fiabe tristi: ogni sera mi addormentavo abbracciata alla Sirenetta ripetendo tra le lenzuola le favole più disperate con il pulcino del Brutto Anatroccolo che mi guardava dal comodino.

«Ma questa non è una fiaba» avevi tagliato corto e non c'era stato altro da aggiungere. Così lo zio, sua moglie, il pianoforte, l'arpa, la viola, Allegra, Gionata e la sua (per me) curiosa destinazione erano stati tutti inghiottiti nel pozzo buio del non tempo.

Avevo portato con me, nel viaggio, tre lettere trovate in soffitta; due venivano dagli Stati Uniti: la prima era di Allegra e la seconda, firmata da Sara, una delle sue figlie, ne annunciava la morte. La terza lettera arrivava da Israele: con poche righe asciutte il cugino Gionata si congratulava con te per la nascita di Ilaria, diceva di essersi stabilito definitivamente nel nord della Galilea e di essersi sposato; mandava l'indirizzo completo, casomai un giorno aveste voluto andare a trovarlo.

Era proprio là, a quell'indirizzo che avevo deciso di andare una volta sbarcata nel porto di Haifa: dato che era figlio del più giovane dei fratelli di tua madre e che, facendo un po' di calcoli, doveva essere intorno alla settantina, aveva buone probabilità di essere ancora vivo; a parte mio padre – sulle spiagge di Rio, però, molto verosimilmente, avevo schiere di cuginetti mulatti – lo zio Gionata era l'ultimo parente che mi era rimasto in questa parte dell'emisfero.

La fermata dell'autobus che mi avrebbe portato a destinazione era poco lontana da lì. Ho aspettato meno di un'ora prima di salire sul mezzo: aria condizionata e musica andavano al massimo, la maggior parte dei posti erano occupati da ragazzi e ragazze in divisa militare, alcuni di loro portavano a tracolla, con grande disinvoltura, dei mitra.

Il bus ha lasciato Haifa dal lato opposto del Carmelo attraversando la zona industriale sovrastata da grandi viadotti. Fuori dal finestrino sfilavano uno dopo l'altro capannoni, officine, ipermercati e concessionari d'auto. Il traffico era piuttosto caotico e i guidatori gesticolavano minacciosi dai finestrini aperti, suonando ripetutamente il clacson. Stranamente non mi sentivo agitata, piuttosto sospesa: di lì a poco sarei giunta al kibbutz indicato nella lettera. Chissà se avrei davvero trovato lo zio, magari era morto da tempo o aveva cambiato indirizzo; forse era rimasto laggiù solo qualche cugino, ma poteva anche andarmi peggio: non trovare proprio nessuno.

Neppure questa ipotesi riusciva a inquietarmi perché di una cosa ero certa: quel viaggio non era una fuga (come era stato quello in America) ma un anda-re incontro, affrontare qualcosa che non conoscevo ma che mi riguardava nel profondo.

Sono scesa – unico passeggero – sul ciglio della strada, in mezzo ai campi. Davanti a me un cancello rinforzato da filo spinato proteggeva una costruzio-ne a metà tra una garitta e una portineria.

Mi sono avvicinata al ragazzo armato che stava di guardia, dicendogli il mio nome e quello di chi stavo cercando e, insieme, siamo entrati nel campo. Sull'autobus, avevo cercato di immaginare che aspetto avesse un kibbutz: memore dei racconti che avevo sentito da un tuo amico, mi ero fatta l'idea di un in-sieme spartano di baracche raccolte su un terreno arso.

Inoltrandomi dietro al soldato, invece, ho pensato che, più che a un villaggio di pionieri, era simile a un campus universitario disseminato di casette a un pia-no ognuna corredata da un prato e da un piccolo giardino. Non mancavano neppure la piscina e un campo da tennis. Al centro si stagliava un edificio più grande e più alto degli altri che, mi spiegò il mio accompagnatore, era la *Dining room*.

L'unica nota veramente differente rispetto a un campus era la presenza di grandi silos in lontananza, e un forte odore di letame.

Quasi ogni muro ospitava una bougainvillea: ce ne erano di tutti i colori: dal fucsia al lilla, al bianco; si arrampicavano con generosità, quasi con protervia, ospitando tra i fiori e le foglie una grande quantità di passeri.

Il ragazzo mi ha fatto cenno di aspettare. Ho de-posto lo zaino e mi sono seduta su una panchina, guardandomi intorno, incerta. Non ero ben sicura che avesse capito chi stavo cercando, forse non mi ero spiegata bene, ma quando, dopo circa un quarto d'ora di attesa, ho visto staccarsi da un gruppetto di persone un uomo non alto e con la barba bianca, ho riconosciuto (grazie alle misteriose leggi della genetica) senza ombra di dubbio lo zio Gionata.

Pur non nascondendo una certa sorpresa, lo zio non si è dimostrato particolarmente turbato dalla mia presenza. Erano molti anni che non parlava italiano e così mi si è rivolto nello stesso dialetto un po' antiquato che ogni tanto, nei giorni della malattia, usavi anche tu.

Ha voluto che andassimo nella sua abitazione – un prefabbricato basso affacciato su un piccolo giardino fiorito – a prendere un tè. Nonostante l'età lo zio conservava un fisico forte, asciutto e si esprimeva in modo molto diretto.

Gli ho raccontato di te, che eri morta da poco più di un anno, di mia madre che se ne era andata quando avevo quattro anni (sorvolando sul fatto che si era trattato di una morte voluta) e infine di mio padre, un professore di filosofia che viveva a Grado e non si era mai molto occupato di me.

Zio Gionata aveva perso la moglie da poco, si era spenta in un paio di mesi per quella che è ormai la più comune delle malattie; dal loro matrimonio erano nati due figli. Il primogenito Arik viveva ad Arad ed era ingegnere mentre la figlia lavorava come psichiatra all'ospedale di Be'er Sheva.

Aveva già avuto la gioia di diventare nonno di due gemelline, figlie di Arik, che adesso avevano sette anni: tutte e due suonavano il violino dalla più tenera età e grazie al metodo di un giapponese, il signor Suzuki, avevano dimostrato di aver ereditato al massimo grado il talento di entrambi i bisnonni; era da poco rientrato da Arad dove aveva assistito, con vera emozione, al loro saggio.

Stranamente, mi aveva detto, allontanandosi dall'Italia, la musica che aveva nutrito la sua infanzia era sparita di colpo, non ascoltava più dischi né andava ai concerti.

L'unica musica che aveva accompagnato i suoi giorni in Israele era stata quella dei trattori; da quando si era trasferito lì, infatti, la terra era stata la sua unica occupazione: proprio lui aveva piantato quei lunghi filari di pompelmi che si spingevano sino ai contrafforti delle colline; la stessa cosa aveva fatto con le piantagioni di avocado.

Prima del loro arrivo, lì intorno non c'erano altro che sassi ed erbacce; i primi anni avevano dissodato e vangato a mano, poi erano arrivati i trattori e lui, data la sua passione per la meccanica, aveva seguito un corso per imparare a ripararli.

Volevano essere autosufficienti in tutto, era questa la filosofia che li aveva spinti, anno dopo anno, a costruire tutto quello che li circondava.

Ai giovani di queste loro antiche scelte non importava più niente, volevano tutto e subito, non sapevano attendere, non erano in grado – o forse non avevano sufficiente forza d'animo – di sacrificarsi per il futuro della comunità.

«È questa la mia amarezza» si era sfogato lo zio «e di quelli della mia età. Di chi è stata la colpa, nostra o dei tempi? Non dovrei essere così ferito: da che mondo è mondo i giovani tendono a distruggere tutto quello che i loro genitori hanno costruito e la vita va avanti comunque... Mah... Forse sono solo le tristezze di un vecchio.»

Mi aveva sistemato in quella che lui chiamava la "camera degli ospiti": un budello di stanza con le pareti in compensato dove c'era appena posto per una sedia e una brandina; un'unica finestra incorniciava le fronde aromatiche di un eucalipto.

Non avevo mai sentito cantare le upupe e le tortore con tanta vivacità. Era come se il sole, che in quel luogo colpiva con maggior intensità, regalasse più vigore a ogni cosa: i fiori erano più grandi e colorati, gli uccelli cantavano con timbri più intensi. Era così forse anche per i sentimenti – per gli odi, per gli amori, per la forza violenta della memoria?

Con questa domanda mi ero addormentata.

Quando ho udito bussare alla mia porta, credevo fosse ancora notte fonda: lo zio voleva fare colazione con me, mancava poco alle cinque e il sole era già alto, bisognava andare nei campi prima che facesse troppo caldo, si era giustificato davanti alla mia faccia stravolta.

La grande sala da pranzo era già piena di persone, le loro voci si intrecciavano rimbombando come nei banchetti nuziali.

Quella prima mattina sono andata un po' in giro per il kibbutz, ci siamo rivisti solo all'ora di pranzo.

«Guarda quanti capelli biondi e quanti occhi azzurri!» ha commentato lo zio, con un lampo di soddisfazione nello sguardo, passando davanti all'asilo pieno di bambini che giocavano. «A Hitler scoppierebbe il fegato.»

A casa, il vecchio e rumoroso condizionatore era già in funzione; sedendomi sullo striminzito divano del salotto, non ho potuto fare a meno di notare una vecchia stampa di Trieste appesa sulla parete di fronte.

Raffigurava uno scorcio delle rive: davanti a palazzo Carciotti, dame con ombrellini, gentiluomini con bastone e cilindro, balie con carrozzine passeggiavano lungo il molo San Carlo (ora Audace) mentre da una lunga fila di navi, nel Canale venivano sbarcate casse di tutte le grandezze.

«Cosa scaricavano?» ho chiesto allo zio, osservando la stampa da vicino.

«Mah... per lo più caffè, credo, ma anche droghe o stoffe. Sai perché non l'ho mai tolta da lì? Perché mi fa pensare a un tempo che non esiste più, un tempo in cui si potevano passare ore e ore a discutere con passione di tante cose... di una rappresentazione della *Carmen* di Bizet, ad esempio – se fosse migliore quella appena sentita o quella dell'anno precedente – o accalorarsi fino alla lite sul proprio poeta preferito. A mia moglie quella stampa non piaceva, sosteneva che il passato è il passato e non dobbiamo permettere che ci si incolli addosso, ma a me dava una specie... non dico di pace, ma almeno di sollievo. Mi era di conforto sapere che era esistita un'epoca – quella di mio padre – in cui si poteva parlare di arte come se fosse la cosa più importante del mondo, in cui l'orrore era ancora confinato nelle retrovie: non che non ci fosse (c'è da sempre nel cuore dell'uomo) ma non se ne parlava, non si vedeva, si poteva ancora vivere come se non esistesse, restava compresso negli spazi ufficiali della guerra.

«Vedi» aveva proseguito «i miei genitori erano convinti – forse per il loro essere artisti o forse appunto perché i tempi erano diversi – che fosse proprio la bellezza la luce che illumina il cuore dell'uomo.

«La musica può aprire qualsiasi porta, mi ripeteva

mio padre, mentre mia madre mi portava in giardino ad ascoltare i diversi fruscii delle foglie.

«Erano degli idealisti, certo. Se avessero vissuto un po' più nella realtà avrebbero forse potuto evitare una parte della tragedia, ma loro erano fatti così: vedevano sempre il lato bello delle cose, erano convinti che bellezza e probità morale dovessero andare a braccetto. I ricordi che ho degli anni passati insieme a loro, nella villa, sono come pervasi da una luce dorata, non c'erano ombre tra di loro e neppure nel loro rapporto con noi. Per l'epoca credo fossero dei genitori piuttosto anticonvenzionali, giocavano insieme a noi figli non mettendo mai però in secondo piano la nostra educazione: ci imponevano pochi principi che, comunque, andavano rispettati con ferreo rigore. A tavola si discuteva di tutto, non c'erano domande che venissero eluse.

«Ricordo una volta – avrò avuto sei o sette anni, l'età in cui si comincia ad interrogarsi – che di punto in bianco durante un pranzo, ho chiesto: Ma insomma, chi ha fatto il mondo?

«Lo ha creato Dio, ha risposto mio padre.

«E dopo averlo creato, ha concluso mia madre, ha inventato anche la musica perché l'uomo lo potesse comprendere.

«A differenza della maggior parte dei matrimoni dell'epoca – e perché no? anche di quelli attuali – la loro unione non era limitata a un'attrazione fisica, a un'infatuazione dovuta a mutevoli fattori. Si amavano davvero, non li ho mai visti sibilarsi parole acide o tenere il muso, potevano a volte discutere in modo anche molto animato ma non c'era mai, in loro, quella malevolenza che affiora quando si è stanchi dei giorni o ci si sente delusi.

«Sono convinto che – a questo – contribuisse molto il loro rapporto con l'armonia, con la musica: nel territorio della bellezza riuscivano a dissolvere qualsiasi conflitto.

«La loro ingenuità è stata credere che quello che aveva valore per loro, potesse averlo anche per gli altri, che tutti gli esseri umani fossero accomunati da una tensione interiore in grado di dare luce alle cose.

«Non sai quanto ho rimuginato negli anni su questo, quante volte ho smontato e rimontato ogni ora, ogni minuto, ogni secondo del nostro vivere insieme: era come se avessi tra le mani il motore di un trattore di cui non riuscivo a identificare il guasto.

«Praticamente la mia è stata una vita solo a metà. Dove sei? mi rinfacciava sempre mia moglie. Sei con noi o stai viaggiando nella macchina del tempo?

«No, non credo di essere stato un buon marito e neppure un buon padre.

«Sono stato tutto a metà.

«D'altronde, mi dico spesso, quando una vita è spezzata non si può più ricomporre, si può solo fingere, ci si può mettere della colla sui frammenti ma resterà sempre una riparazione apparente.

«Spezzato, vuol dire che dentro di te ci sono due, tre o quattro parti che non si possono più ricomporre, e che, per vivere, devi tentare di mettere insieme i pezzi senza far sentire i cigolii che produci al tuo interno, gli scricchiolii del cedimento.

«I miei genitori, perennemente avvolti nell'armonia della loro musica, erano scivolati nell'atroce convinzione che la bontà fosse naturalmente nel cuore dell'uomo e che – proprio in virtù del suo essere innata – anche nel più accanito criminale poteva albergare la bontà, bastava semplicemente risvegliare –

con un sorriso, una canzone, un fiore – il bene dentro di lui.

«Non erano religiosi, non almeno nel senso tradizionale. Il padre di mio padre si era convertito: non credo sia stato folgorato sulla via di Damasco, ma piuttosto sulla via della praticità; erano agnostici da tempo e dunque, per loro, passare da una parte o dall'altra non era stato poi così sconvolgente.

«La famiglia di mia madre apparteneva invece ancora di nome – ma non di fatto – alla tradizione: andava in sinagoga solo in occasione di matrimoni e circoncisioni.

«Penso che mia madre considerasse come una sorta di folklore l'insieme delle usanze che le erano state imposte, ma non era affatto atea e neppure agnostica, anzi credeva in un essere supremo, leggeva con passione libri di argomenti spirituali ed era molto interessata alla trasmigrazione delle anime – la reincarnazione, insomma – seguendo le idee di una nobile russa, una certa Blavatsky o qualcosa del genere.

«Ricordo che una volta, in giardino, ha osservato su una foglia un bruco peloso, chiedendogli: Domani sarai una farfalla, ma un giorno chi sei stato?

«Mi inquietava molto l'idea che ci potesse essere una realtà nascosta dietro le cose, che non fossero, insomma, come apparivano. Non sono stato un degno figlio loro, non ho mai avuto grandi fantasie, alla fine mi sono occupato di motori e non di metafisica: meno male che sono morti, mi sono anche trovato a pensare una volta, forse si sarebbero vergognati di un figlio così banale, poi sono stato io a vergognarmi di averlo anche solo pensato.

«Adesso che sono solo in casa – era diverso quando c'erano mia moglie e i bambini – che so di non avere più molto tempo davanti, mi capita spesso di stare sveglio la notte: ascolto il rumore del traffico che di ora in ora diviene meno frequente, sento gli sciacalli: cos'altro sono i loro ululati se non domande alla luna, alle stelle, al cielo?

«Seguendo i loro guaiti vedo anche salire il fumo da terra: c'è mia madre in quella nuvola densa e nera, la sua essenza mischiata a migliaia di altre – i suoi sogni, i suoi talenti, il suo sguardo; è tutta cenere posata sulla Vistola, sugli alberi, sui campi intorno a Birkenau – il potassio di quei corpi ha reso fertili intere regioni, dando vita a grandi bucaneve, verze gigantesche, mele come mappamondi.

«Ma davvero è sepolta lì sotto mia madre, in quel trionfo della chimica, oppure ci sono solo i suoi capelli, le sue ossa? La sua anima, come credeva lei, ha davvero cambiato corpo, come nei viaggi si cambia camera d'albergo? Magari si è reincarnata in Africa o in uno sperduto villaggio sulle Ande...

«Di notte i pensieri diventano enormi ma in questa immensità non penso mai al paradiso, a un luogo dove si possa vivere senza colpa sospesi in una leggerezza che non ha niente di umano: vorrebbe dire qualcuno che si cura di noi e questo io non lo credo, no. A nessuno importa il destino degli uomini e tanto meno il nostro particolare.

«Nella mia vita ho cercato di comportarmi nel modo migliore possibile, di essere onesto, di lavorare, di farmi una famiglia, di amarla secondo la mia capacità e questo è stato tutto, l'unica cosa che ho da mettere sulla bilancia. È un mio limite, probabilmente, ma come ogni limite, non sono stato io a deciderlo.

«Sono venuto qui nel dopoguerra per sfuggire ai ricordi. Niente di bello mi legava più all'Europa, volevo capire chi ero, ricostruirmi una specie di identità e, lentamente, ci sono anche riuscito.

«Non ho rimpianti, non tornerei indietro per nulla al mondo però non sono rimasto folgorato da niente. Rimango uno scettico. Uno scettico di buona volontà, ma sempre uno scettico.

«Vedi» aveva proseguito lo zio indicando una sorta di rettangolino fissato sulla porta «quello l'ha messo mio figlio: è una mezuzah. Arik è sempre stato un ragazzo molto religioso anche se noi non l'abbiamo mai spinto: a casa ci siamo limitati a rispettare le tradizioni con rigore, ma questo è tutto. Non l'abbiamo neppure scoraggiato, naturalmente, ma ogni tanto a sua madre e a me capitava di guardarlo come uno sconosciuto: da dove viene fuori?

«Non sapevamo risponderci.

«A volte mi è capitato di pensare che dentro di lui fosse davvero trasmigrata l'anima della nonna, che tutta quella devozione non fosse altro che un modo per far espiare a mia madre la passione per la Blavatsky e tutte le sue strampalate letture spiritiste.

«Mia moglie diceva che nascere è come essere buttati giù da un palazzo molto alto, comunque sia, il destino è quello di precipitare e dunque ci si deve pur aggrappare a qualche cosa: c'è chi si appiglia a un davanzale e chi plana su un balcone, chi afferra una persiana e chi, all'ultimo istante, riesce ad agganciare una grondaia. Se vuoi vivere devi cercare di trovare un appiglio, non ha nessuna importanza ciò a cui riesci ad attaccarti. Ma per mia moglie era diverso: veniva da una famiglia osservante e non era mai andata d'accordo con suo padre, un uomo piuttosto rigido; si desidera in fondo sempre quello che non si ha in casa, forse anche per questo non riusciva a nascondere l'irritazione per questo suo figlio che voleva far rientrare dalla finestra delle usanze che lei era riuscita a buttare fuori dalla porta.

«Io, al contrario, sono sempre stato convinto dell'onestà e della profondità dei sentimenti di Arik. Ricordo un episodio che risale ai suoi tredici o quattordici anni: era sabato, e rientrando in casa, aveva sorpreso la madre al telefono: parlava con sua sorella a Tel Aviv. Era scoppiato a piangere, disperato, gridando: Perché non vivete con santità?

«Vedi? Le cose degli uomini sono sempre straordinariamente complesse. Per questo ti dico, la questione più importante è l'onestà, partendo da lì si può arrivare dappertutto.»

Sebbene fossero appena le sei, fuori era già calata la notte e, con l'oscurità, era salita una brezza leggera, soffiava dalle colline verso il mare; la bougainvillea fuori dalla finestra si muoveva con un fruscio di carta velina, dalle stalle poco distanti giungeva il muggito di un vitellino, un richiamo disperato, senza risposta: forse cercava la madre già portata al macello. Lo zio si è versato un bicchiere d'acqua e l'ha bevuto tutto di un fiato; faceva molto caldo, l'aria condizionata ormai si era spenta. Doveva essere tanto tempo che lo zio non parlava così a lungo, con un sospiro si è lasciato cadere sullo schienale del divano fissandomi: «E tu, a cosa credi?».

3.

Il peso della notte è il peso delle domande che non hanno risposte. La notte è dei malati, degli inquieti, non c'è modo di liberarsi dalla sua tirannia. Si può accendere una luce, aprire un libro, cercare alla radio una voce confortante ma la notte rimane lì in agguato: dal buio veniamo, nel buio torniamo e buio era lo spazio prima che l'universo prendesse forma.

Forse per questo le città sono sempre più luminose e piene di attrattive: a qualsiasi ora della notte, se si vuole, si può mangiare, comprare qualcosa, divertirsi. Silenzio e oscurità vengono relegate a quelle poche ore in cui si sviene di stanchezza e si deve cercare di riprendere un po' di forze per andare avanti, ma non è un sonno attraversato dalla folgore delle domande, è uno svenimento appunto, lo spazio breve in cui il corpo è costretto a cedere alla fisiologia, per poi risvegliarsi davanti a uno schermo luminoso di cui noi e soltanto noi azioniamo il telecomando.

A che cosa credi? mi aveva chiesto lo zio. Nel silenzio della notte mi giravo e rigiravo nel letto, non riuscendo a trovare quiete. Sapevo che il sonno non sarebbe venuto ma speravo almeno, inutilmente, in una sorta di assopimento. Quella domanda vagava nell'aria trascinandone con sé tante altre, prima fra tutte la sua gemella: perché vivi?

A cosa credi? Perché vivi? Ad ogni bambino che nasce dovrebbe essere consegnata una pergamena con queste due domande a cui rispondere. Poi, con quello stesso foglio – compilato con tutte le azioni della nostra vita – bisognerebbe presentarsi anche al cospetto della morte.

Cancellando la notte e il silenzio, infatti, non resta più spazio per le domande – ed è questa la funzione della pergamena: perché ogni bambino che nasce non creda di essere soltanto un oggetto tra altri oggetti, magari il più perfetto; perché sappia (se negli anni gli capitasse di trascorrere una notte insonne) che non è una malattia a tenerlo sveglio ma soltanto la sua natura, perché è dell'uomo – e di nessun altro essere – la capacità di interrogarsi.

A cosa credi?

Si può credere a tante cose, alla prima che ti viene proposta, ad esempio: quando il bambino mangia la pappa, è convinto che sia la più buona del mondo non avendone mai assaggiate altre; se un uovo si dischiude davanti a un gatto, il pulcino che nasce cerca nutrimento da lui, pensando di essere suo figlio.

Si può accettare di mangiare la stessa pappa tutta la vita oppure, ad un certo punto, la si può rifiutare, scostando il viso come fa il bambino quando è sazio.

Magari invece ci si rende conto che non c'è nessuno a porgerci del cibo e si resta così affamati e assetati preda di un irrefrenabile nervosismo. L'unico modo per calmarsi allora è quello di muoversi, passeggiare, andare in giro a fare – e a farsi – domande cercando un volto capace di rispondere.

A cosa credi, dunque?

Credo al dolore, che è il signore della mia vita: è lui che mi possiede da quando ho aperto gli occhi, che attraversa la mia mente e il mio corpo, che elettrizza, devasta, deforma; è lui che, dal primo istante, mi ha reso inadatta alla vita, è stato il dolore a mettere un timer nel mio cuore, innescando una probabile esplosione.

C'è dolore non gioia, nei miei primi ricordi; ansia, paura, non la serena certezza dell'appartenenza. Mentre gattonavo alla ricerca di mia madre tra quei corpi storditi dagli eccessi, mentre la osservavo dormire accanto a un compagno ogni volta diverso, quale sentimento potevo provare se non smarrimento? Già allora intuivo di essere figlia non dell'amore ma della casualità e questa percezione, invece di spingermi all'astio, faceva nascere in me uno strano desiderio di protezione verso mia madre; leggevo sempre un velo di tristezza sotto la sua forzata allegria, sentivo che stava andando alla deriva e avrei dato la mia vita per evitarlo.

Da dove viene la mia anima? Si è formata con me o è scaturita dal mistero del tempo fuori dal tempo? È forse scesa sulla terra, contravvenendo alle leggi di natura, per poter soccorrere un corpo che sbadatamente l'ha attirata a sé, condannandola a vivere nella sofferenza della non accettazione, nell'inquietudine del nessun luogo, del "non importa, per cosa, per chi sono qui?" come aveva detto mio padre "tanto tutto inesorabilmente si riproduce, dalle muffe agli elefanti"?

Ero dunque figlia dell'inesorabilità?

Nelle notti di bora, a Trieste, spesso, una piccola folla di manifestanti si raduna davanti al palazzo di giustizia per protestare contro qualche sopruso, imprecando con rabbia sempre crescente fino all'alba.

È il caso che sta asserragliato dentro il palazzo di giustizia, protetto da sbarre e da guardie? sta nascosto lì dentro perché ha paura? È al caso che bisogna rivolgere le domande? e di che cosa dovrebbe aver timore se non delle domande degli uomini, delle inesorabilità che ha gettato sulla scena del mondo senza neppure un cenno di spiegazione?

Continuando a pensare al caso, ho deciso di alzarmi: era ancora buio, la sveglia lampeggiava le tre, in qualche altra casetta la luce era già accesa. Di notte, il caso doveva affrontare una gran folla di questuanti: ogni lampada accesa un'inquietudine, una frattura, un ponte rimasto sospeso; ogni luce una memoria senza pace, ho pensato, incamminandomi lungo i filari dell'agrumeto.

Arrivata in fondo al campo mi sono seduta su una pietra, la brezza della notte si era fermata, i rumori, gli odori, ogni cosa era immobile. Mi sentivo come in un teatro prima dell'inizio del concerto, l'orchestra era già tutta al suo posto, il direttore fermo sul podio ma il suo braccio ancora non si muoveva: sguardi, menti, cuori, muscoli, erano tutti in attesa di poter esplodere nell'armonia del suono.

Era ancora notte quando dal villaggio arabo sulle pendici della collina si è levato il canto di un gallo, poco dopo un chiarore ha soffuso la volta scura del cielo.

Facendo rientro al campo, ho sentito un canto modulato uscire da una delle casette: nella solitudine dell'alba qualcuno stava pregando. Era un ringraziamento o una supplica? mi sono chiesta raggiungendo il mio letto. E le domande, non si levavano forse tutte nello stesso modo nella notte? E se le domande non fossero altro che l'unica forma di preghiera che ci è stata concessa?

La settimana seguente ho iniziato a lavorare nel kibbutz, davo una mano dove c'era bisogno. Era un periodo di scarsa attività nei campi, così stavo per lo più in cucina o nel grande stanzone della lavanderia.

Una sera lo zio ha voluto raccontarmi la storia di suo padre, quella storia che tu non avevi voluto unire a quella della Sirenetta e del Brutto Anatroccolo.

L'atmosfera a Trieste si era fatta pesante. Molti dei loro amici si erano già messi in salvo; partendo, avevano consigliato anche a loro di farlo ma suo padre, Ottavio, davanti alla sola parola "fuggire" aveva provato un senso di ribellione. Perché mai dovrei scappare, diceva? lo fanno i ladri, gli assassini, i malfattori, i vili, coloro che hanno delle cose da nascondere, ma io cos'ho fatto di male?

«Non era la consapevolezza di sapersi battezzato a dargli quella assoluta tranquillità» aveva precisato lo zio Gionata «ma una reale distanza interiore da quello che gli succedeva intorno: non si capacitava che davvero si potesse arrivare a uccidere un uomo solamente per il cognome che portava.»

Sono un cittadino italiano! aveva proclamato con fermezza quando erano venuti a prenderlo come se l'appartenenza geografica potesse garantirgli una sorta di magico lasciapassare.

Lui, lo zio Gionata, si era salvato perché, tornando a casa, aveva incontrato per strada una donna che da anni scendeva giù dal Carso a portare loro il burro e, contando sui suoi capelli biondi e i suoi occhi azzurri, si era unito a lei, fingendosi suo figlio.

Aveva così assistito impotente e muto all'arresto dei suoi genitori.

Non era più tornato alla villa, la donna del latte lo aveva portato con sé sull'altipiano e lì era rimasto fino alla fine della guerra.

«Forse è stato in quel periodo» aveva aggiunto sovrappensiero lo zio «che tra i libri e la terra ho scelto la terra, perché nella carta stampata c'erano solo domande mentre nei campi c'era la vita e la vita, comunque, andava avanti.»

Nelle settimane seguenti il vescovo, che da anni stimava Ottavio come musicista, era riuscito, grazie ad amichevoli pressioni sul prefetto, a ottenerne la liberazione ma il salvacondotto era valido per una sola persona così suo padre lo aveva rifiutato.

Il giorno di Yom Kippur del '44, i suoi genitori erano partiti per le desolate pianure della Polonia, dove, da subito, si erano perse le tracce della madre.

Era stata la Croce Rossa, tre mesi dopo la fine del conflitto, a comunicargli invece che il padre era ancora in vita.

«Nell'autunno del 1945» ha continuato lo zio «mio padre Ottavio è tornato a Trieste, irriconoscibile nel fisico ma apparentemente immutato nello spirito. Ha chiamato subito il suo vecchio accordatore, poi si è seduto sullo sgabello e ha iniziato a suonare. Sembrava che non avesse altra necessità che quella, non gli interessava mangiare, bere, dormire, fare una passeggiata, voleva solo suonare: suonare e basta. Dapprima ho pensato che fosse stata proprio la musica – e il ruolo così centrale nella sua vita – ad avere contribuito alla sua salvezza, ma ben presto ho dovuto ricredermi.»

Un mese dopo, lo zio Ottavio aveva chiesto, con

insistenza, di potersi esibire in concerto. Il suo desiderio venne presto esaudito.

Gionata ricordava ancora tutto di quella serata: la sala era strapiena, il pubblico attento, non volava una mosca, non uno starnuto né un colpo di tosse, sembravano tutti rapiti dall'intensità quasi metafisica di quell'esecuzione. Il volto stesso del pianista era come trasfigurato. Guardandolo, un senso di inquietudine si era impadronito anche del figlio.

Chi era la persona che stava suonando? era suo padre, l'uomo che aveva sempre conosciuto, o ne aveva solo le sembianze? Le sue mani correvano sulla tastiera ma non c'era più gioia nel suo sguardo, una luce fredda e distante sembrava trascinarlo lontano, in un luogo dove non era possibile raggiungerlo.

Alla fine, il pubblico si era alzato battendo forsennatamente le mani in un'ovazione che era durata dieci minuti, reclamando i bis a gran voce ma dopo un sobrio inchino, lo zio Ottavio aveva gelato la sala tagliando l'aria con un gesto secco da sinistra a destra come a dire: No, non è più possibile. Non insistete. Ho chiuso.

«Indimenticabile, davvero indimenticabile...» mormoravano molti riprendendo nel foyer i cappotti. Non era chiaro se si stessero riferendo al concerto o alla sua insolita chiusura.

Il giorno seguente lo zio Ottavio si era alzato, aveva gettato nella stufa tutti i suoi spartiti, chiuso il coperchio del pianoforte e, dopo essersi infilato il cappotto, era uscito.

Uscire, da quel giorno in poi – e per tutto l'inverno – era stata la sua unica attività. Lasciava la casa all'alba e tornava a notte fonda, ogni tanto qualche conoscente diceva di averlo incontrato sulle rive, a Muggia o ad Aurisina. Camminava a testa bassa senza mai riconoscere nessuno, gli amici lo salutavano e lui tirava dritto, muoveva le labbra in continuazione come se discutesse animatamente con se stesso; non si lavava più, non si sbarbava, indossava sempre lo stesso lurido cappotto, scarponi da montagna sfondati e un cappello calcato sugli occhi; intorno alla vita teneva arrotolati diversi metri di corda.

Con quella stessa corda aveva iniziato, dopo qualche mese, a portare a casa i cani.

I primi furono due bastardini tipo caccia, li sistemò nel retro del giardino; rimase a casa un'intera settimana per montare dei rudimentali box di rete nella zona vicino al garage. Una volta ultimati, aveva ripreso il suo solito vagabondare. Usciva la mattina e rientrava la sera, portando con sé sempre qualche nuovo cane legato ai suoi spaghi.

«In breve tempo» aveva ricordato lo zio Gionata «la situazione si era fatta insostenibile: gli animali sporcavano dappertutto, abbaiavano, si sbranavano tra di loro per contendersi il cibo: mio padre infatti non li nutriva con regolarità, ma soltanto quando si ricordava o se ne aveva voglia e non permetteva neppure ad altri di pensarci; una volta che avevo osato farlo si era avventato contro di me con la furia di un folle. Se i cani litigavano si scagliava contro di loro, percuotendoli alla cieca con un bastone finché smettevano e lui cadeva a terra esausto; quando invece erano quieti e sazi passava ore ad accarezzarli, parlando loro con un tono calmo e pacato. Voi sì, ripeteva, seduto in mezzo a loro, come fossero bambini, voi sì che avete un cuore davvero devoto... e i cani gli sfioravano la mano con piccoli tocchi della lingua, battendo la coda.

«Era evidente che bisognava ricoverarlo, curarlo, ma come? Lui non avrebbe mai accettato e io non potevo costringerlo con la forza.

«La questione era molto delicata, come potevamo aiutarlo? era ancora possibile? e, soprattutto, era giusto? Voleva davvero ritornare ad essere il pianista di una volta o quel gesto perentorio alla fine del concerto era stato lo spartiacque definitivo tra il prima e il dopo, tra quello che era e quello che l'avevano fatto diventare? Non doveva essere forse quella – la morte della bellezza – la testimonianza della sua vita da lì alla morte?

«Probabilmente non era lui che dovevamo curare, quanto piuttosto la nostra incapacità di sopportare la devastazione, la vista del bene che si corrompeva in male. In fondo, nei primi tempi ci illudevamo tutti di poter andare avanti come se niente fosse successo. Un po' di male si può anche guardare, ma quando è così scuro e denso da coprire tutto l'orizzonte è ancora possibile farlo?

«Per fortuna esiste la morte, almeno lei alle volte è pietosa. Un giorno sono tornato a casa e non ho sentito abbaiare i cani, ma non mi sono preoccupato più di tanto: è stato solo più tardi quando li ho visti tutti stranamente immobili incorniciati dalla finestra del bagno che sono sceso di corsa in giardino e l'ho trovato.

«Era lì, disteso in mezzo ai box con gli occhi aperti, sembrava sorridere. Il cuore si era fermato di colpo, senza dolore. Invece di morderlo e sbranarlo gli animali lo vegliavano in silenzio, battendo a turno la coda come a comunicarsi qualcosa. Dicono che i cani siano capaci di vedere l'angelo della morte. Quella volta ho pensato che era vero e che forse erano angeli loro stessi, per il modo in cui offrivano il loro cuore al padrone. Comunque ho avuto almeno questa consolazione, di vedere che era morto sereno. Un sollievo modesto, che si polverizza di notte quando penso che, probabilmente, anche i criminali più feroci muoiono con la stessa espressione sul volto.»

4.

In camera mia, la sera dopo cena, ho cominciato a leggere la Bibbia. Non avendo la preparazione adatta, non seguivo un ordine vero e proprio, mi limitavo ad aprirla ogni tanto correndo con lo sguardo tra le righe alla ricerca di qualcosa che mi facesse eco dentro. Chissà perché, tra tutte le letture che avevamo fatto insieme, non me l'avevi mai proposta. Avevi paura di condizionarmi? o forse temevi di non essere capace di rispondere alle mie domande con verità e fermezza?

Era per questo che non mi avevi mai parlato dello zio Ottavio?

Probabilmente avevi rimandato il discorso a quando fossi stata più grande, poi, quando finalmente l'età giusta è arrivata, sei stata travolta dalla violenza della mia irrequietezza, seguita subito dopo dalla devastazione della tua malattia e così la riflessione sulla memoria era stata spazzata via.

Di che radici mi avevi fornito?

Del tuo amore, certo, ma qual era il suo fondamento, da cosa era alimentato, cosa lo spingeva oltre il naturale corso della genetica?

E perché non avevi saputo amare mia madre, per quale ragione l'avevi lasciata andare alla deriva come una barca senza timone?

Avresti potuto fare qualcosa?

Oppure è sempre il flusso della storia a trascinare le vite, a travolgerle? Mia madre era figlia del suo tempo, così come tu lo eri del tuo ed io lo sarei stata del mio?

E se la storia fosse sì una corrente, ma alla quale ci si può anche opporre, determinandone il corso? E se proprio nella storia si annidasse il mistero della salvezza? Se la salvezza fosse agire seguendo il tragitto luminoso della verità?

Ma quale verità?

Fino ad allora avevo sentito dire che la verità non esiste.

«La verità dipende dai punti di vista» mi aveva detto un giorno mio padre «e dato che i punti di vista sono infiniti, le verità sono infinite. Chi dice di avere la verità in una mano, nell'altra tiene già stretto un coltello per difenderla. Chi tira Dio dalla sua parte lo fa per poi ammazzarti. Ricordati cosa c'era scritto sulle cinture dei nazisti – *Gott mit Uns*, Dio è con noi – ricordati i roghi su cui i cattolici hanno bruciato vivo chi non la pensava come loro. Verità e morte camminano sempre una accanto all'altra.»

Spinta dalla lettura della Bibbia, quel fine settimana avevo finalmente deciso di uscire dal kibbutz e andare a visitare il paese.

Ho raggiunto Zefat in autobus e mi sono seduta su un muretto a mangiare parte delle provviste che avevo preso nelle cucine. Musica martellante usciva da alcuni locali per turisti che costellano le mura, mentre una guida, in un inglese fluido, illustrava le bellezze del luogo a un gruppetto di americani stanchi e annoiati.

«Nei primi secoli Zefat è stata soprattutto una fortezza, un caposaldo della resistenza contro gli invasori romani. Solo nel XVI secolo è divenuta uno dei centri più importanti della cultura mistica ebraica, ed è a quella stessa epoca che risalgono le più importanti sinagoghe che potete ammirare.»

Strani suoni metallici e ripetitivi sovrastavano le sue parole: poco lontano il figlio di una coppia non più giovane pigiava freneticamente i pulsanti di un videogioco senza staccare gli occhi dallo schermo. Per tre volte il padre gli ha intimato di smettere, alla quarta gli ha strappato il gioco di mano gridando irritato: «*These are your roots!*».

L'aria calda saliva dalla pianura, muovendo debolmente le foglie delle piante. Più in là due cicogne – le ali aperte e le zampe distese – tracciavano grandi cerchi nell'aria approfittando delle correnti ascensionali.

Nelle prime ore del pomeriggio sono scesa verso Tiberiade. Mi aspettavo di trovare un povero villaggio di pescatori e invece sono piombata in una cittadina turistica a metà strada tra Rimini e Las Vegas, la tristezza dei luoghi di villeggiatura fuori stagione aleggiava su tutto, sull'odore di grasso fritto e freddo, sulle insegne luminose (per metà spente), sul negozio di souvenir in cui sono entrata per comprare una cartolina.

Ecco un avamposto in cui ti troveresti bene... ho scritto dietro e l'ho spedita a mio padre.

Quella prima notte l'ho passata in una pensione a Tiberiade, la mattina dopo mi sono diretta verso Cafarnao.

Si era levato il vento, onde minacciose percorrevano la grande distesa del lago.

Ho fatto una breve deviazione per visitare il sito archeologico di Tabgha nel cui parcheggio stazionavano già tre pullman.

Raggiungendo la gradinata ho incrociato una folla variopinta di miei connazionali, per lo più coppie di pensionati che, dall'accento, sembravano provenire dalle province venete, muniti tutti dello stesso fazzoletto colorato al collo e di cappellini con visiera: molti di loro avevano il volto segnato di chi ha lavorato la terra per tutta la vita, alcune donne erano vestite in modo elegante – golfino, gonna, camicetta – con borsette antiquate sottobraccio e sfoggiavano permanenti non sfiorate dalle ansie del nuovo millennio.

Li accompagnava un sacerdote di mezza età, il loro parroco probabilmente.

«Venite qui... state vicini... ascoltate...» continuava a ripetere, ansioso come una maestra a capo di una gita scolastica.

Ma, a parte tre o quattro parrocchiane che non si scostavano da lui, il resto della compagnia non sembrava dargli molto retta dimostrando maggior interesse per il lato ludico del luogo: i più intrepidi tra loro, infatti, si erano tolti le scarpe ed erano entrati nel lago, schizzandosi rumorosamente come ragazzini.

Persone sparse immortalavano il tutto con i più sofisticati sistemi di riproduzione tecnologica: inquadravano, filmavano, scattavano senza staccare mai l'occhio dalla macchina.

Nel frattempo, altri autobus si erano accostati alle sponde del lago riversando a terra una nuova ondata di pellegrini, questa volta tedeschi e coreani.

«Una delle prime testimonianze dell'esistenza di questo luogo si deve alla pellegrina Egeria...» aveva da subito iniziato a dire una guida tedesca, tenendo in alto un cartello con il nome del tour. «Ecco quello che scriveva nel 394 dopo Cristo: *"Non lontano si vedono dei gradini di pietra sopra i quali stette il Signore e sopra il mare vi è un campo erboso con molto fieno e molte palme, presso le quali sette fonti emettono ciascuna acqua abbondante..."*. Ecco, guardate sulla sinistra, sotto quella costruzione ottagonale c'è ancora la sorgente principale, l'acqua sgorga a trentadue gradi ed è in parte sulfurea e in parte salmastra, si tratta dunque di acqua termale.»

La notizia sulla salubrità di quella fonte sembrava eccitare le signore tedesche che subito erano sciamate alla ricerca di un rivolo in cui immergere un dito, per provare a Tiberiade le stesse sensazioni sperimentate ad Abano.

Il gruppo dei coreani era più ordinato e compatto. Seguivano tutti attentamente con lo sguardo ciò che il loro sacerdote indicava di volta in volta, come se fossero parte di un unico organismo.

Finalmente anche le fatiche del parroco veneto erano state ricompensate: dopo essersi infatti sbracciato e sgolato inutilmente, con pochi suoni di un fischietto (lo stesso probabilmente che usava sui campi dell'oratorio) era riuscito a raccogliere il suo gregge intorno a sé per leggere ad alta voce l'episodio del Vangelo ambientato proprio in quel luogo: «*In quei giorni, essendoci di nuovo molta folla che non aveva da mangiare chiamò a sé i discepoli e disse loro: "Sento compassione di questa folla: ormai da tre giorni mi vengono dietro e non hanno da mangiare. Non voglio rimandarli digiuni, perché non svengano lungo la strada". E i discepoli gli dissero: "Dove potremo noi trovare in un deserto tanti pani da sfamare una folla così*

*grande?". Ma Gesù domandò: "Quanti pani avete?".
Risposero: "Sette, e pochi pesciolini". Dopo aver ordinato alla folla di sedersi per terra, Gesù prese i sette
pani e i pesci, rese grazie, li spezzò, li dava ai discepoli,
e i discepoli li distribuivano alla folla».*

Terminato il brano il sacerdote aveva alzato gli occhi: «Quanti di noi sarebbero capaci di seguire il Cristo per giorni senza mangiare? Saremmo in grado di
dimostrare tanta dedizione pur di ascoltare la sua parola? E quanto siamo disposti ad accoglierla? È una
parola che ci turba? o è una parola sulla quale ci ac-
comodiamo come ci si accomoda su un morbido cu-
scino?».

Quando, alla fine, aveva incitato gli astanti dicendo: «Raccogliamoci dunque per un momento di me-
ditazione e di preghiera che ci faccia comprendere il
senso profondo del nostro pellegrinaggio...» alcuni
dei parrocchiani avevano assunto un'espressione
dolorosamente assorta mentre altri si erano guardati
intorno lievemente imbarazzati o distratti come se
stessero pensando a quanto mancava per il pranzo
al sacco.

Il vento che veniva dal lago intanto si era intensifi-
cato facendo volare qualche cappellino sulle pietre
antiche; i foulard svolazzavano come bandiere mentre dalle fronde degli eucalipti giungeva il rumore
secco delle foglie misto all'intenso cinguettio dei passeri.

Seduta sui gradini dell'anfiteatro scrutavo con attenzione i volti che mi circondavano; se avevano deciso di arrivare fino a lì, ho pensato, dovevano credere in qualcosa altrimenti avrebbero preferito andare
a riscaldarsi al sole delle Canarie.

La lucerna del corpo è l'occhio; se dunque il tuo oc-

chio è chiaro, tutto il tuo corpo sarà nella luce, avevo letto nel Vangelo di Matteo quella mattina, aspettando l'autobus.

C'era luce in quei corpi, chiarezza in quegli sguardi? o piuttosto conformismo, sentimentalismo, superstizione: lo faccio perché lo fanno gli altri, perché desidero essere ammirato per la mia bontà, perché, comunque sia, voglio essere protetto dalle grandi forze inique che dominano l'universo; è per questo che al collo, invece di un corno di corallo, tengo la croce, anzi, per essere sicuro magari li metto tutt'e due e già che ci sono aggiungo anche una manina di Fatima?

Era questa la fede o invece era proprio questo modo di credere che andava rifiutato? E tra fede e religione, che rapporto c'era? si poteva praticare una religione e non avere alcuna fede, e viceversa? Cosa scendeva dal cielo e cos'era debolezza degli uomini? cosa era verità e cosa smania di approvazione?

Per tutto il tempo che sono rimasta lì seduta ho cercato altri occhi che rispondessero ai miei ma era come se scivolassi su una superficie di ghiaccio o di plexiglas: probabilmente ero io a non avere nessuna luce ma neppure il più piccolo riverbero emanava da quella folla.

Stavo quasi per desistere quando un lampo ha incrociato il mio sguardo irradiandosi dal volto luminoso di un'anziana e minuta donna coreana; i suoi connazionali si stavano già imbarcando sull'autobus, ma lei, chissà perché, mi è venuta vicino sorridendo, mi ha preso una mano tra le sue, stringendola forte, come se volesse dirmi: coraggio, continua così, per poi, dopo un breve accenno di inchino, correre via a piccoli passi verso il suo pullman.

Sono arrivata dopo molte ore a Cafarnao: anche lì, il solito assedio di pullman turistici.

Guide e accompagnatori intrecciavano nell'aria spiegazioni in lingue diverse che io coglievo a tratti, inoltrandomi tra la folla variopinta verso la zona archeologica.

Dell'antica sinagoga restavano soltanto quattro colonne di calcare bianco e al suolo alcuni frammenti di bassorilievi carichi di melograni e grappoli scolpiti.

«Qui passava l'antica Via Maris, la strada che collegava Siria e Mesopotamia all'Egitto e alla Palestina...» stava dicendo un uomo con una paletta in mano «una strada obbligata, soprattutto per le lunghe carovane dei commercianti. Ed è proprio qui, in questa sinagoga, che Gesù si è trasferito a predicare, dopo aver lasciato Nazareth ...a qualcuno viene in mente perché?»

«Perché era come un parcheggio di Tir...»

«O un centro commerciale...»

«Esatto! Gesù l'aveva scelta per via del grande passaggio. Venne poi distrutta nel 665, probabilmente da un terremoto...»

Il sole era allo zenit e faceva piuttosto caldo.

Seguendo il flusso delle persone che incedevano disordinate, chi mangiando panini, chi dissetandosi da piccole bottiglie di acqua minerale, ho raggiunto una zona d'ombra, nella parte più a sud degli scavi, e mi sono seduta per mangiare anch'io qualcosa.

Di tutto quanto doveva essere la cittadina che aveva dato i natali a Pietro non rimanevano altro che le fondamenta delle case: «Qui Matteo aveva il suo banco di esattore, qui viveva Simone con la suocera» continuavano a ripetere i ciceroni con voce monocorde.

Mi stavo domandando come mai, quando si parlava di Simon Pietro, si accennasse sempre a quell'unico rapporto di parentela e perché non comparissero mai la moglie e i figli, quando il mio sguardo è stato ferito da una specie di mostruosa astronave di vetro e cemento che conficcava sei grosse zampe di ferro a terra oscurando del tutto la vista del lago.

Cos'era?

A prima vista, una balera degli anni Sessanta o un qualche bizzarro tempio di cultori degli Ufo.

«Qui sorgeva la casa di Pietro» ripetevano con enfasi le guide, mostrando dei modesti resti di mura oscurati dalla cupa astronave.

Avrebbe ottimi motivi la suocera, ho pensato, di detestare il genero se a lui dovesse la condanna a vedere la loro memoria schiacciata sotto tonnellate di cemento e vetro. Ma forse non era di Pietro la colpa, quanto piuttosto dell'ottusa vanagloria degli esseri umani che pretendono di esibire dappertutto i segni del loro potere.

Decine e decine di monetine gettate dai turisti luccicavano sull'antico pavimento della casa. Non riuscivo a capire quale fosse il senso di quel gesto. Propiziatorio, augurale? o forse solo il previdente inizio di una colletta per poter, un giorno non lontano, abbattere quel mostro e restituire Cafarnao al suo incanto?

Ormai si era fatto tardi. Avrei voluto salire ancora al monte delle Beatitudini ma non ero sicura di riuscire a tornare in tempo al kibbutz come avevo promesso allo zio, così ho raggiunto la fermata dell'autobus.

Durante tutto il percorso, mentre il paesaggio veniva rapidamente inghiottito dall'oscurità, ripensavo alla giornata trascorsa. *L'abbondanza dei saggi è la salvezza del mondo* avevo letto nella Bibbia, poco prima.

Avevo incontrato dei saggi quel giorno, lo avevo fatto negli anni passati?

Gli unici preti che avevo incrociato sulla mia strada erano stati quelli visti in televisione. Non ricordavo nulla dei loro discorsi, a parte una soffusa aura di sentimentalismo moralista che non aveva aperto nessuna porta nella mia mente, sigillando semmai quella del mio cuore.

Che cos'era davvero la Sapienza? forse quel dolore che da sempre attraversava la mia spina dorsale?

Su quelle sponde il Rabbi di Nazareth aveva sfamato migliaia di persone: c'erano ancora pani e pesci da distribuire? e quale fame dovevano saziare? di cosa aveva fame l'uomo moderno che possedeva tutto tranne se stesso? di cosa aveva fame l'anima? Di gloria, di trionfi, di giudizi, di separazioni, o forse semplicemente di scoprire una soglia davanti a cui inginocchiarsi?

5.

Nei mesi seguenti la mia vita ha preso un ritmo regolare, lavoravo in lavanderia assieme a un gruppo di signore anziane che parlavano yiddish; mentre loro piegavano la biancheria, io azionavo la macchina stira-lenzuola. Grazie alla mia conoscenza del tedesco riuscivo anche a capirle e a fare un minimo di conversazione.

Il tempo libero lo passavo per la maggior parte con lo zio, sembrava anche lui contento di aver recuperato un ramo disperso della famiglia. Stavamo a discorrere a lungo nel suo salottino, la sera, oppure andavamo a passeggiare lungo i filari di agrumi che lui stesso aveva piantato.

«All'inizio» mi aveva detto «questo lavoro mi era stato semplicemente assegnato. Nei primi tempi per me piantare un albero equivaleva a costruire un muro, non vedevo la differenza; ma con gli anni, curandoli, vedendoli crescere, in me è nata una vera passione. Mia moglie mi prendeva spesso in giro: "Pensi più a loro che ai tuoi figli" e forse aveva ragione.

«Sul destino dei figli, in fondo, aleggiava anche una certa fatalità, sapevo che, per quanto mi sforzassi di crescerli nel migliore dei modi, ad un certo punto loro potevano decidere – in totale autonomia – di scegliere una strada sbagliata o semplicemente diversa dalla mia.

«Con i miei alberi invece era differente. Loro dipendevano dalle mie cure, aspettavano l'acqua quando la terra diventava troppo arida, l'olio minerale che li proteggesse dalla cocciniglia, la giusta quantità di concime alla fine dell'inverno, perché un rapporto sbagliato tra i vari compost, avrebbe prodotto troppe foglie o scatenato una cascola o anche pericolose ustioni. È un errore che ho fatto spesso all'inizio: avevo dato troppo nutrimento al terreno e, come una madre ansiosa, pensando di arricchirlo, l'ho fatto ammalare. Il concime va fornito nella giusta misura, e a tempo debito; a volte si deve anche evitare di darlo. Una privazione ragionevole fa bene alle piante come anche ai figli: bisogna rinunciare a qualcosa per poi sentire il desiderio di averlo.

«Al giorno d'oggi circola l'idea un po' ottusa che, per essere felici, i bambini devono avere tutto subito: sapere le lingue, giocare con il computer. Discuto sempre di questo con le giovani coppie, mi dicono che sono antiquato e forse anche un po' sadico. Non capiscono che, per mettersi in viaggio, c'è bisogno della nostalgia di qualcosa. Se io tolgo la luce a una pianta, radunerà tutte le sue forze per riuscire a ritrovarla, le cellule apicali si tenderanno in modo spasmodico per scoprire uno spiraglio e una volta raggiunta la meta, la pianta sarà più forte perché, avendo incontrato un'avversità, sarà riuscita a superarla.

«Le piante viziate, così come i bambini, hanno un'unica strada davanti, quella del loro ego.

«Faccio questi discorsi e so di essere solo, il mondo ormai va avanti in modo diverso e non sarò certo io a fermarlo. Mi piacerebbe però che la gente pensasse più agli alberi, che imparasse a curarli, ad essere loro grata, perché (anche se nessuno sembra ricordarlo) senza di loro non ci potrebbe essere la nostra vita: è il loro respiro che permette a noi di respirare.

«Sai che cosa mi fa più paura di questi tempi? Il senso di onnipotenza che va diffondendosi. L'uomo è convinto di potere fare tutto perché vive in un mondo artificiale, costruito dalle sue stesse mani, che crede di dominare totalmente. Ma chi, come me, fa crescere gli alberi, le piante, sa che non è così.

«Certo, per garantire la regolarità del rifornimento idrico, posso costruire un sofisticatissimo impianto di irrigazione – abbiamo coltivato praticamente tutto il paese in questo modo – ma se non piove per giorni, per mesi, per anni, ad un certo punto la terra si spaccherà per la secchezza, le piante moriranno e, con le piante, anche gli animali. Non possiamo fabbricare l'acqua, capisci, così come non possiamo fabbricare l'ossigeno. Siamo comunque dipendenti da qualcosa che non è nelle nostre mani: se il mare si gonfia, ci travolge; se arrivano le cavallette, divorano il raccolto e i germogli degli alberi esattamente come hanno fatto al tempo del faraone. Ma noi, chiusi tra le luci artificiali, non lo sappiamo più.

«L'unico orizzonte certo è quello del nostro dominio sulla materia, curiamo sempre più malattie, con sistemi sempre più sofisticati – e questo, naturalmente, è un fatto straordinario – ma poi surgeliamo i maiali vivi per vedere se è possibile per noi addormentarci e svegliarci molte volte in un tempo dilatato, per potere, insomma, far finta di morire e rinascere ogni volta; smembriamo i corpi dei defunti e li teniamo in frigo come pezzi di ricambio.

«Vedi, io ho una rotula che non si muove quasi più per l'artrosi, è sempre gonfia e fatico a camminare. Sai cosa mi ha detto un medico dell'ospedale, un giorno? "Se vuole, potremmo sostituirla con un'altra." "E dove la prendete?" e lui, tranquillo: "Alla banca".

«Insomma, da qualche parte del mondo c'è un grande frigo che contiene tutti i pezzi di ricambio: invece delle zucchine e dei piselli ci sono rotule e mani, tendini e occhi; stanno lì in attesa di sostituzione come le portiere di una macchina da un carrozziere.

«Ho visto l'espressione apparsa sul viso del dottore quando gli ho risposto: Preferisco restare zoppo che profanare un corpo, mi ha guardato come se fossi un vecchio fanatico. Ma io non sono mai stato fanatico in niente. Il dubbio, la perplessità hanno accompagnato tutti i miei passi; avrei voluto tornare indietro a dirglielo, poi ho capito che non ne valeva la pena. Gli spazi chiusi arrecano straordinarie ottusità agli uomini. Bisogna stare all'aperto per ammettere che c'è qualcosa che non riesci a capire; e questa consapevolezza non è una sconfitta ma una tua possibilità di grandezza.

«Da lì puoi partire per viaggi straordinari, dice sempre mio figlio, e se non lo fai, qualsiasi itinerario tu intraprenda sarà soltanto un girare in tondo.

«Come puoi pensare, quando prendi in braccio tuo figlio appena nato, che sia un insieme di pezzi di ricambio? Senti la sua carne tenera, affidata; vedi il suo sguardo, quello sguardo dal quale, a saperlo leggere, potresti capire tutto e comprendi che, in quei pochi chili di materia, è racchiuso il più grande dei misteri. Non è la tua intelligenza a dirtelo ma le tue viscere che l'hanno generato. Come dice il salmo? *Non ti erano nascoste le mie ossa quando venivo formato nel segreto intessuto nella profondità della Terra.*

«E io, quelle ossa, dovrei poi segarle e metterle in frigo? Grazie no, preferisco farle tornare nelle profondità della Terra, preferisco pensare che *tutto era scritto nel tuo libro, i miei giorni erano fissati quando ancora non ne esisteva uno*, come continua il salmo, chinare il capo e accettare la mia sorte.

«Discuto spesso con mio figlio di queste cose quando viene a trovarmi con le bambine, restiamo svegli fino all'alba, quando loro sono a letto. Spesso dice ridendo che sono diventato più religioso di lui ma gli rispondo che si sbaglia perché io sono come un negoziante che ha un credito aperto con qualcuno e non ha ancora saldato il conto – la morte di mia madre, di mio padre, lo sterminio di milioni di innocenti avvenuto in tutti i tempi – e avendo questo conto aperto, non posso consegnarmi mani e piedi a una fede, così come non posso neppure far finta di niente, dire che tutto va bene sotto il sole, che quello che riempie il cielo non è altro che masse di materia in movimento così come sostengono i "sempi". »

Era da tempo che non mi parlava più in dialetto, così gli ho chiesto: Hai detto empio o sempio?

Lo zio si è messo a ridere e ha continuato in triestino: «Go dito sempio» poi più serio: «ma tra sempio e empio c'è poi tanta differenza? Entrambi non vedono – o fanno finta di non vedere – ciò che sta sotto il loro naso.

«Quando ho cominciato a piantare alberi, come ogni ragazzo cresciuto in città, ero convinto che non fossero poi molto diversi da pali capaci di mettere le foglie; è stato con il tempo che ho capito, ascoltandoli, osservandoli crescere, vedendoli ammalarsi, morire o fruttificare che non erano poi molto diversi dai bambini, che, come loro, avevano bisogno di cure, di amore ma anche di polso; ho capito che ognuno di loro, incredibilmente, aveva una sua individualità – ce n'erano di più forti e di più deboli, di più generosi e di più avari, persino di più capricciosi.

«A tutti dedicavo cure con la stessa intensità e tutti rispondevano in modo diverso. Per questo ho compreso che non erano pali ma creature dotate di un loro proprio destino. E se c'è un mistero in loro, quanto più grande sarà il mistero che avvolge gli uomini?

«Se fossi arrivato alla mia età convinto di aver piantato tutta la vita semplici pali generatori di frutta, che cosa sarei adesso? Un sempio? un empio?

«A te la risposta.

«Sarei comunque una persona che tutta la vita è andata avanti senza saper ascoltare, senza saper vedere, un uomo con in testa – al posto dei pensieri e delle domande – soltanto un fuoco di foglie bagnate, il fumo della loro cattiva combustione mi avrebbe impedito di vedere quanto fosse simile il destino dell'albero a quello dell'uomo.»

Gli avevo raccontato anch'io allora della mia passione per gli alberi, di quel noce che tu, con tanta leggerezza, avevi fatto tagliare e della devastazione che ne era seguita: era come se, anche al mio interno, fosse stato amputato un albero: da quella ferita sempre aperta continuavano a sgorgare le mie inquietudini.

Abbiamo anche parlato della tua malattia e di come non fossi ancora riuscita a fare i conti con il nostro rapporto: troppo vicino e ovattato nell'infanzia, troppo conflittuale dopo. Il fatto che tu avessi amato me ma non fossi stata capace di farlo con tua figlia mi lasciava in uno stato di grande sospensione, di ambiguità nei tuoi confronti.

Gli avevo poi anche raccontato di mio padre e della sua storia con mia madre, dei loro anni di Padova e alla fine, forse anche per sdrammatizzare un po', abbiamo iniziato il gioco delle piante.

«Che pianta sarebbe stata Ilaria?» ho chiesto allo zio.

«Sicuramente una pianta lacustre» ha risposto «le sue radici fluttuanti non le avevano permesso di innalzarsi in un fusto né di vivere a lungo ma, come capita a quelle specie, aveva generato un bellissimo fiore.»

«Mio padre invece?»

Per i racconti che gli avevo fatto, zio Gionata lo paragonava a una di quelle piante che si vedono rotolare nel deserto, più che arbusti sembrano corone di spine: il vento le spinge e loro danzano sulla sabbia inerpicandosi sulle dune per poi ricadere senza mai fermarsi; non avendo radici né la possibilità di metterle non possono neppure offrire nutrimento alle api e il loro destino è quello di una eterna e solitaria corsa verso il nulla.

Io invece, da bambina, avevo desiderato crescere con la stabile possanza di una quercia o la fragranza di un tiglio ma negli ultimi tempi avevo cambiato opinione: mi turbava la prigionia dei tigli nei viali e nei giardini quanto mi intristiva il destino solitario delle querce, così, adesso, avrei voluto essere invece un salice, crescere con la mia grande chioma in prossimità di un fiume, tuffare le radici nell'acqua, ascoltare il rumore della corrente, offrire – tra le fronde –

ospitalità all'usignolo e alla cannaiola e vedere il martin pescatore comparire e scomparire tra i flutti come un piccolo arcobaleno.

«E tu» avevo chiesto poi «tu che albero vorresti essere?»

Lo zio era rimasto un po' assorto prima di rispondermi.

«Da giovane avrei voluto essere un arbusto: che so, una rosa selvatica, un biancospino, un *prunus* e confondermi nell'insieme di una siepe. Una volta arrivato qui, invece, mi sarebbe piaciuto essere uno di quei cedri che crescono maestosi sulle pendici dell'Hermon. Ma negli ultimi tempi l'albero che ho sempre in mente, di cui ho più nostalgia, è uno che cresce dalle nostre parti, il faggio... Lo ricordo dalle mie gite in montagna: il tronco grigio, coperto di muschio e le foglie ad incendiare l'aria...

«Ecco sì, adesso vorrei essere un faggio.

«Anzi mi sento, sono un faggio, perché al tramonto la vita si infiamma di emozioni, di ricordi, di sentimenti come, in autunno, nei boschi si incendiano le chiome di quegli alberi.»

6.

Poco dopo la festa di Shavuot, qualcuno mi ha cercato dall'Italia, la telefonata è stata smistata nella sala da pranzo, ma io ero già al lavoro. Quando alla fine del mio turno mi sono finalmente seduta con il vassoio stracarico a un tavolo, un giovane soldato mi ha fatto scivolare accanto un biglietto su cui c'era scritto: *A call from your abba.*

Era mio padre che mi cercava, per la seconda volta in vita sua. Cosa lo spingeva a farlo? Chissà, forse entusiasta della visione di Tiberiade, voleva chiedermi di trovargli un appartamento da quelle parti o magari soltanto comunicarmi che stava lasciando Grado Pineta per raggiungere qualche altro avamposto dove trascorrere l'estate. Era passato infatti già quasi un anno dalla mia partenza.

Conoscendolo, non doveva essere una cosa urgente, ho infilato il biglietto in tasca pensando che, alla prima uscita, avrei comprato una tessera per richiamarlo.

Quella stessa sera è arrivato in visita Arik, il primogenito dello zio, di ritorno dall'università di Haifa dove si era recato per lavoro: era sulla trentina e aveva un volto aperto, luminoso.

In onore mio e del paese che (seppure per una

manciata di chilometri) ci aveva dato i natali, quella sera siamo rimasti a casa e abbiamo cucinato degli spaghetti al pomodoro. Arik ha raccontato al padre le ultime prodezze delle gemelline, aggiungendo con fare misterioso che presto avrebbe avuto un'altra bella novità da comunicargli ma che preferiva aspettare la moglie per farlo. Aveva poi accennato qualcosa riguardo alla sorella, incontrata la settimana prima a Be'er Sheva.

«Se non la chiamo io, non mi chiama mai» ha commentato con tristezza lo zio.

«È troppo presa dal suo lavoro» è stata la pronta risposta di Arik «non stacca mai, è convinta che sia compito suo salvare l'umanità. Se continua così, finirà per ammalarsi.»

Lo zio ha scosso la testa: «È strano, di solito le figlie prendono dal padre. Nel nostro caso, invece, lei è più simile alla madre: uno spirito concreto, realistico, capace di rimboccarsi le maniche in tutte le situazioni, senza alcun tipo di turbamento».

«Non è così» ha puntualizzato Arik «finge di non averne per non affrontarli. Ha deciso che il mondo deve andare come vuole lei e non guarda in faccia a nessuno.»

«È una persona molto sicura di sé?» ho chiesto, io che ho sempre invidiato quell'attitudine.

«Sicura?» si era allora chiesto Arik «forse. Ma più che sicura, è autoritaria: quando ha deciso una cosa non si può più discutere, deve andare bene per forza. Dunque è una forma di fragilità.»

Sollecitato dalle mie domande, Arik si era soffermato poi a lungo a descrivermi la sua vita ad Arad.

Non era stato facile per lui ambientarsi all'inizio – clima e paesaggio erano totalmente diversi da lì – ma ormai non sarebbe riuscito a vivere in nessun altro posto. Aveva bisogno delle pietre, dell'aria asciutta e secca, di quei fiori nei wadi che, alla prima pioggia, esplodono in una sinfonia di colori. Portava sempre le bambine ad ammirarli, anche se erano ancora piccole e non in grado di capire: voleva abituarle fin dall'inizio a gioire della meraviglia.

«Ai tropici, probabilmente, uno si stanca anche dei fiori e finisce per non vederli, ma un deserto che fiorisce una volta soltanto è un dono inatteso, ci fa capire quanta luce è racchiusa nella materia.»

Mi aveva poi raccontato la storia dell'assedio di Massada e di come avesse visto, la settimana prima, due giapponesi in sella a una bicicletta arrampicarsi fino in cima alla fortezza; mi aveva parlato anche dell'oasi di Ein Gedi dove vivevano persino dei leopardi (risalendo i wadi all'alba alle volte era possibile vederli) e ancora della grotta in cui Davide si era nascosto da Saul... Se un giorno avessi deciso di andare a trovarli, mi avrebbe portato a visitare tutti questi luoghi.

Verso le undici lo zio è andato a dormire, noi invece siamo usciti a passeggiare.

Abbiamo fatto un paio di giri intorno alle stalle, poi ci siamo incamminati lungo gli agrumeti: le zagare erano aperte e nella mitezza dell'aria notturna emanavano un profumo straordinariamente intenso. Dopo un breve tragitto, ci siamo seduti su una pietra, la stessa che avevo prescelto per le mie meditazioni e abbiamo parlato per tutta la notte di tante cose: delle nostre famiglie, di suo nonno e della sua tragica fine, di come anche lui, fin dall'infanzia, si fosse sentito turbato dal fatto che Ottavio avesse amato la bellezza senza amare Colui che l'aveva fondata nei nostri cuori.

«La bellezza, l'armonia esistono nella misura in cui siamo capaci di percepirle, di gioirne. Solo così diventano nutrimento per l'anima. Altrimenti non sono che un abbaglio e – come succede quando incrociamo una macchina che ci lampeggia costringendoci a sterzare – ci spingono inevitabilmente a deviare dalle nostre intenzioni, a mescolare il bianco con il nero, a trasformare tutto in una melma grigia.»

«Il cuore» ha continuato Arik «è il luogo di questa battaglia, lì le intenzioni buone si scontrano con le cattive senza esclusione di colpi. Bisogna essere coscienti di questo, altrimenti si finisce per arrendersi senza aver neppure combattuto, soccombendo all'opacità dell'indistinto che è il grande nemico di questi tempi. L'opacità toglie gioia alla vita, sottrae la luce alle cose intorno consegnando il nostro essere all'oscurità.»

Intorno a noi si chiamavano ululando gli sciacalli, accompagnati a tratti dall'abbaiare di un cane e, malgrado fosse ancora buio, anche i galli iniziavano già a modulare i loro canti per salutare l'arrivo del nuovo giorno.

Arik mi ha indicato un alberello aggrappato a un palo di sostegno.

«Vedi, in noi – come negli alberi – c'è un naturale desiderio di salire, di innalzarci. Magari è sepolto sotto chili di scorie, ma esiste. È una sorta di nostalgia che dimora nella parte più profonda di ogni uomo. La vita però è complessa e piena di contrasti e noi, abbandonandoci unicamente al giudizio della nostra mente, rischiamo di sbagliare direzione, di venir abbagliati da qualche finto sole. Per questo esiste la Torah, è come il tutore di quel giovane albero, ci aiuta a salire dritti, ad andare incontro al cielo senza farci spezzare dalle tempeste di vento.»

Tra le fronde degli alberi avevano iniziato a frullare le ali dei passeri che si stavano risvegliando con cinguettii sempre più forti.

A oriente le tenebre cedevano ormai il posto alla luce, l'azzurro chiaro si stava già mutando in arancio oro quando Arik si è alzato in piedi e, sottovoce, ha cominciato a pregare. L'ho imitato; stavo lì accanto a lui, in piedi, e non sapevo che cosa dire, nessuno mai mi aveva insegnato una preghiera, cercavo disperatamente qualche parola che desse voce al mio stato d'animo.

Le upupe con il loro volo ondeggiante attraversavano già i filari di alberi quando alle mie labbra è salito un grazie. Grazie per la vita, grazie per lo splendore, grazie per la capacità di comprenderlo.

La settimana dopo ho ricevuto un'altra telefonata dall'Italia, ma questa volta non era di mio padre.

Erano i carabinieri di Mestre che mi annunciavano di aver trovato un uomo morto in un sottopassaggio vicino a Marghera. Il suo nome era Ancona Massimo e nella tasca della sua giacca avevano rinvenuto una lettera indirizzata alla figlia, con il mio numero di telefono. Lo conoscevo? Ero davvero la figlia, visto che dai documenti non risultava? Se davvero era così, dovevo quanto prima recarmi all'obitorio dell'ospedale di Mestre per il riconoscimento.

Il pomeriggio stesso sono andata ad Haifa per prenotare l'aereo: il primo posto disponibile era su un volo che da Tel Aviv mi avrebbe portato a Milano, di lì a tre giorni.

L'ho confermato e sono tornata in kibbutz.

Quella notte non sono riuscita a chiudere occhio. Mi maledicevo per non averlo richiamato, i carabinieri non erano riusciti a dirmi come era morto, così ho avuto il sospetto che si fosse ucciso. Magari era disperato, voleva dirmi qualcosa e io non mi ero fatta viva: anche se lui non aveva mai avvertito nessuna responsabilità sul mio inizio, io mi sentivo comunque responsabile della sua fine.

Solo con la saggezza del mattino mi sono resa conto dell'assurdità di quei pensieri: mio padre non si sarebbe mai ucciso per una telefonata non ricambiata, protetto com'era da sempre dalla sua anaffettività e dal suo egoismo.

Il giorno seguente ero troppo irrequieta per riprendere le mie solite attività così, con l'autobus, ho raggiunto il monte delle Beatitudini.

Sono arrivata all'ora di pranzo, il grande giardino che circonda la basilica era quasi deserto. Sotto di me, come un lucidissimo specchio, brillava il mare di Galilea mentre il vento dalla strada sottostante trasportava a tratti il rumore delle macchine.

In quelle poche decine di chilometri Gesù aveva consumato la sua breve esistenza. La folla lo seguiva ovunque, ad ogni passo gli chiedeva guarigioni. Non faticavo ad immaginare lo sfinimento e la solitudine che doveva provare per quel continuo assalto di questuanti: dopo trent'anni di silenzio, tre anni immerso in una continua confusione.

Cosa voleva dire, poi, guarire? Vedere, camminare, sentire nuovamente, ma per farne cosa: per avere appetito, dormire bene, poter correre spediti? o forse per accedere a un altro livello di consapevolezza del vivere? E che relazione c'era tra le mielose parole che avevo sentito in televisione e la forza, il rigore, la severità di ciò che usciva dalla bocca del rabbi di Nazareth? Un giorno, quelle parole avrebbero potuto guarire anche me?

Ho passeggiato per i viali del parco seguendo le pietre bianche che riportano incise le Beatitudini; intorno a me la fioritura era lussureggiante e i rigogoli lanciavano i loro canti nell'aria come fossero domande. Quando ho letto *Beati i misericordiosi, perché otterranno misericordia* ho pensato a mio padre: dove si trovava adesso? Era lì intorno e mi stava vedendo o era sprofondato in qualche luogo oscuro da cui non sarebbe più emerso? Ci sarebbe stata misericordia per la sterilità della sua vita? E poi, che cos'era veramente la misericordia? non era forse un partecipare alla compassione di Colui che ci aveva creati?

Mi tornavano alla mente le parole di Arik: «Il rigore della legge e la misericordia camminano sempre uno accanto all'altra, ma nelle decisioni più importanti è sempre la seconda a prendere il sopravvento perché, per le viscere di una madre, infierire su un figlio è impossibile».

L'idea di una maternità di Dio mi aveva profondamente colpito.

«Ma alla fine che cosa vuole Lui da noi?»

«Vuole crescita, trasformazione, pentimento: vuole vivere nel nostro cuore come noi, fin dall'inizio, viviamo nel suo. Non è la potenza che desidera dividere con noi, ma la fragilità.»

7.

Due giorni dopo, a bordo della sua Subaru scassata, lo zio mi ha accompagnato al Ben Gurion.

Ci siamo lasciati con un lungo abbraccio e con la promessa che quanto prima sarebbe venuto a trovarmi a Trieste: l'invito, naturalmente, era esteso anche ad Arik e alla sua famiglia.

Il volo è stato regolare.

A Milano ho preso il treno per Venezia e sono scesa a Mestre.

Arrivata al comando dei carabinieri, un giovane appuntato mi ha subito accompagnata all'obitorio. Strada facendo mi ha raccontato che dall'autopsia già effettuata, le cause della morte erano risultate del tutto naturali: da un momento all'altro il cuore aveva cessato di battere.

Gli zoccoli dell'addetta che ci faceva strada erano di gomma e sul linoleum del pavimento producevano uno strano risucchio.

Un vento gelido mi ha colpito all'entrata della cella frigorifera. Sui tavoli di acciaio giacevano tre corpi. Lui occupava il posto centrale. Dal telo verde spuntavano i suoi piedi (era la prima volta che li vedevo senza scarpe), lateralmente pendeva un braccio.

L'appuntato ha sollevato il telo: «Lo riconosce?».

Invece che nel solito sorriso beffardo, le sue labbra sembravano schiuse in un'espressione di stupore.

«Sì» ho detto «è mio padre, Massimo Ancona.»

«Mi dispiace» ha detto il militare.

«Dispiace anche a me» ho risposto e in quel momento ho sentito le lacrime scendere lungo le guance.

Impaziente per il gelo, l'addetta masticava una gomma americana (il rumore delle sue mandibole era l'unico in quel silenzio irreale) mentre il carabiniere compilava dei moduli.

D'impulso, ho afferrato quella mano bianca che pendeva dal lenzuolo e l'ho stretta tra le mie, la pelle era fredda come quella dei serpenti, la densità e il peso non molto diversi da quelli dei vivi, le unghie tagliate frettolosamente.

«Ecco il tuo ultimo avamposto» gli ho sussurrato e mi sono chinata per posare un bacio. «Grazie. Grazie per la vita che comunque mi hai dato.»

Tornata a casa, ho aperto il sacchetto di plastica che mi avevano consegnato i carabinieri. Dentro c'erano le sue chiavi di casa, quelle della macchina, una tessera delle autovie regionali (scaduta da un mese), un'agendina telefonica, un portafoglio dai bordi consunti e una busta bianca sulla quale c'era il mio nome.

Il portafoglio conteneva poche monete, una banconota da cinquantamila lire e due da cinquemila, la tessera sanitaria, un cartoncino per la raccolta punti di un supermercato di Monfalcone (mancavano solo quattro bollini all'agognato premio, un accappatoio di spugna) e, da uno scomparto laterale, spuntava una piccola foto consunta dal tempo: una donna elegante, non alta, fissava il fotografo con un'espressione tra l'altero e l'annoiato stringendo distrattamente la mano di un bambino. Doveva essere stata scattata sulle rive di San Marco o di fronte alla Giudecca, il bambino indicava sorridendo qualcosa che lo riempiva di sorpresa: una nave, una strolaga, un uccello mai visto? Tanto gli occhi della madre riflettevano unicamente l'accondiscendenza al proprio ego, quanto quelli del bambino sprizzavano un'indomita e gioiosa curiosità. Sul retro, in un inchiostro ormai sbiadito, una scritta: *Venezia 1936, la mamma ed io sulle rive*. Massimo Ancona e sua madre, il professore di filosofia del linguaggio e l'inesausta giocatrice di canasta, mio padre e mia nonna, rinchiusi in un portafoglio come la maggior parte dei comuni mortali.

Il nome di un ristorante di Monselice era inciso sulla copertina di plastica verde dell'agenda praticamente vuota: sotto la D, i numeri del dottore e del dentista, alla lettera T, tre o quattro trattorie, poi qua e là i recapiti di alcune case editrici, due o tre nomi femminili e poi, in prima pagina, il mio numero di Trieste e sotto, a matita, con grafia più tremolante, quello in Israele.

La stessa scrittura incerta aveva vergato il mio nome sul frontespizio della busta. L'ho aperta: all'interno due fogli giallognoli (con l'intestazione di un albergo di Cracovia) riempiti fitti da ambo i lati.

Grado Pineta, 13 maggio

Non so se questa lettera giungerà mai nelle tue mani ma, se la leggerai, vorrà dire che io non farò più parte di questo mondo. Tu sai quanto detesto i sentimentalismi, tuttavia non posso fare a meno di scrivere queste righe. In fondo tu sei stata l'insperato.

Il temuto e l'insperato.

Sei giunta alla fine dei miei giorni e – come quelle piante che lanciano le loro sottili (e prepotentissime) radici a colonizzare lo spazio intorno – hai aperto una fessura nella mia vita insinuandovi il tuo sguardo, la tua voce, le tue domande e di quello sguardo, di quella voce, di quelle domande non sono più riuscito a liberarmi.

È il richiamo del sangue o la debolezza della senilità? Non lo so, non ho più forze né tempo per rispondermi. In fondo non ha molta importanza, a questo punto non devo più difendermi né spiegare nulla.

Oggi ho cercato di ammazzarmi.

Niente di straordinario o di melodrammatico, quella di porre personalmente fine ai miei giorni è una decisione che ho preso da quando ho l'uso della ragione; non scegliendo di nascere, stabilire quando morire è l'unica vera libertà che ci è data. Il mio corpo è in evidente declino e la mia mente lo sta purtroppo seguendo.

Questa mattina si è rotta la tapparella della mia stanza. Sono rimasto al buio fino alle cinque del pomeriggio inseguendo inutilmente il tecnico al telefono. Continuavano a dirmi: "Riprovi più tardi, la chiameremo noi" ma non succedeva mai nulla, così alla fine ho deciso di uscire a fare una passeggiata. Mi sono incamminato nell'aria dolce di maggio, accompagnato dai voli instancabili degli uccelli che portavano cibo ai nidi; dal cemento sbucavano ovunque dei fiorellini gialli. Maggio, ho pensato, è il momento più straordinario per andarsene, quello che richiede più coraggio perché la vita è nella pienezza del suo fulgore. Cosa ci vuole ad uccidersi a novembre, quando il cielo è velato dalla cupa coltre della pioggia? Si potrebbe pensare che è stata la depressione a spingermi a farlo e invece no, sono perfettamente lucido e consapevole della mia scelta.

Una volta rientrato a casa ho provato a chiamarti, volevo sentire un'ultima volta la tua voce ma non ho avuto fortuna: all'altro capo del telefono si sono susseguite diverse persone, parlavano un po' inglese, un po' ebraico, un po' spagnolo, comunque non sono riusciti a trovarti.

Sono salito allora su una sedia per prendere la pistola: da anni stava posata sopra la libreria, avvolta in un panno scuro. L'ho caricata e ho aspettato la fine della notte leggendo le mie poesie preferite: non volevo morire in casa come un topo, desideravo andarmene in uno spazio aperto, davanti al mare, vedere ancora una volta l'alba, il sole che sale e inonda di luce il mondo.

Alle quattro sono uscito e ho raggiunto la spiaggia, nel buio sentivo le conchiglie scricchiolare sotto le scarpe; mi sono seduto sullo stesso pattino che avevi scelto una volta tu per una delle nostre soste, sentivo il freddo del metallo premermi contro la coscia.

Poco dopo le cinque, ad est il cielo sopra Trieste e l'Istria ha iniziato a rischiararsi, l'aria si è riempita delle grida degli uccelli marini e la marea ancora bassa faceva sciabordare l'acqua dolcemente. Mi sono guardato intorno e ho sfilato la pistola dalla tasca, in attesa: quando il disco arancione è comparso all'orizzonte l'ho puntata alla tempia e ho premuto il grilletto: tlac, ha fatto e non è successo niente. Ho mandato avanti il tamburo, un altro tlac.

Nel frattempo sulla spiaggia era arrivato un pensionato con i suoi due barboncini, lanciava in aria una palla colorata e loro la inseguivano abbaiando felici.

Neppure di uccidermi sono capace, ho pensato, rimettendomi la pistola in tasca.

In mattinata è arrivato il tecnico delle tapparelle e con lui, la luce nella stanza. Nel pomeriggio sono andato a fare un po' di spesa a Monfalcone. La vita va avanti, non so per quanto, ma va avanti, ho pensato buttando la pistola in un cassetto. Aspetterò che il caso compia il suo corso.

La sera mi sono affacciato al balconcino della cucina, la temperatura ormai quasi estiva faceva fermentare le alghe della laguna saturando l'aria di salmastro; in un appartamento illuminato della palazzina di fronte una donna con il grembiule e un secchio puliva a fondo le stanze nell'imminenza della migrazione estiva.

Stavo rientrando quando tra i cespugli incolti che dividono i due condomini a un tratto ho visto le lucciole; erano anni che non mi capitava – danzavano tra il suolo e gli arbusti ricamando l'aria con la loro intermittente luminosità. Soltanto il giorno prima avrei sorriso all'astuzia delle strategie riproduttive: che cos'altro era quella luce se non lo straordinario stratagemma per giungere alla copula?

Ma quella sera, all'improvviso, tutto mi sembrava diverso, non provavo più irritazione verso la casalinga che puliva i pavimenti, non vedevo più la meccanicità nei piccoli fuochi fatui delle lucciole.

In quella luce non c'è astuzia, ma sapienza, mi sono detto, e ho cominciato a piangere. Erano passati meno di sessant'anni dall'ultima volta che l'avevo fatto, sulla nave che ci portava in Brasile.

Piangevo lentamente, in silenzio, senza singhiozzi, piangevo per quelle piccole scintille di luce avvolte nella prepotenza della notte, per il loro incerto andare, perché a un tratto mi era chiaro che in ogni oscurità vive compresso un frammento di luce.

Ti faccio ridere? Ti sembro patetico? Forse sì, probabilmente queste frasi irriteranno il furore inesausto della tua giovinezza ma ormai non me ne importa nulla. Anzi, mi coprirò ancora più di ridicolo dicendoti che in tutti questi mesi ho vissuto con la speranza di rivederti.

Sai che io ho sempre scelto la via della sincerità (anche a costo di farmi del male) così in queste giornate, in questo tempo che il caso mi ha concesso, sottraendomi al mio orgoglio, ho la possibilità di riflettere senza più paure perché in fondo sono già morto – sento già il lenzuolo sul mio corpo e la terra umida che mi copre. Proprio perché sono oltre (e non temo più il ridicolo) posso dirti che è stata la paura a determinare i miei giorni, quella che io chiamavo arditezza in realtà era soltanto panico. Paura che le cose non andassero come avevo deciso, paura di superare un limite che non era della mente ma del cuore, paura di amare e di non essere riamato.

Alla fine è solo davvero questo il terrore dell'uomo ed è per questo che si consegna alla piccolezza.

L'amore come un ponte sospeso nel vuoto...

Per paura complichiamo le cose semplici, pur di inseguire i fantasmi della nostra mente trasformiamo una strada dritta in un labirinto dal quale non sappiamo più uscire.

È così difficile accettare il rigore della semplicità, l'umiltà dell'affidamento.

Cos'altro ho fatto tutta la mia esistenza se non questo? Fuggire da me stesso, dalle responsabilità, ferire per non essere ferito.

Quando leggerai queste righe (ed io sarò in una cel-

la frigorifera o sottoterra), sappi che negli ultimi giorni sono stato abitato dal sentimento della tristezza – una tristezza senza rabbia, malinconica e, forse per questo, ancora più dolorosa.

Orgoglio, umiltà: alla fine c'è solo questo sul piatto della bilancia. Non so qual è il loro peso specifico, non posso dire se un giorno di umiltà può bastare a redimere una vita di orgoglio.

Sarebbe stato bello poterti abbracciare, piccola bomba ad orologeria giunta a sorpresa (e troppo tardi) a devastare la mia vita; anche se questo non ti risarcirà di nulla, volevo stringerti in un ultimo grande abbraccio, un abbraccio con dentro tutti gli abbracci che non ti ho mai dato: quelli di quando sei nata e di quando eri piccola, quelli di quando crescevi e quelli di cui avrai bisogno quando non ci sarò più.

Perdona l'ottusità dell'uomo beffardo che ti ha messo al mondo.

papà

Una settimana dopo, nel cimitero ebraico di Trieste, abbiamo celebrato il funerale. Oltre agli uomini del minyan e al rabbino c'ero soltanto io. Appena finito di recitare il Qaddish, dai vicini cantieri è suonata forte la sirena di mezzogiorno.

Era una calda giornata estiva e non c'era molta gente al camposanto. Invece di andare a casa, sono scesa al cimitero cattolico. Prima di entrare, alle bancarelle dell'ingresso ho comprato un bel mazzo di girasoli.

Durante l'inverno molte foglie miste a volantini pubblicitari erano stati trasportati dalla bora nella nostra piccola cappella di famiglia ormai abbandonata da tempo. Dentro l'aria era soffocante, c'era odore di umidità, di muffa: erano anni che nessuno faceva più pulizia là dentro. Ho spalancato la porta e sono andata a comprare una scopa e uno strofinaccio. Alla fine ho messo i fiori nel vaso e mi sono seduta a farvi compagnia.

Chissà dove eravate, come stavate. Chissà se, almeno dall'altra parte, tu e mia madre vi siete incontrate, se siete riuscite finalmente a dissipare le ombre che vi avevano impedito di avere un rapporto sereno. Chissà se potevate vedermi da lassù, seduta sulla vostra tomba in un pomeriggio estivo. Chissà se è vero che i morti hanno il potere di stare accanto ai vivi, di proteggerli senza mai perderli di vista? oppure è solo un nostro desiderio, una nostra umanissima speranza? Davvero dall'altra parte c'è il giudizio e l'arcangelo Michele a sorreggere, con dita leggere, il delicato sistema dei contrappesi? E come vengono stabilite le unità di misura? il peso specifico è uguale per tutte le azioni? ci sono soltanto due categorie – il bene e il male – oppure le quotazioni sono un po' più complesse? Le sofferenze di un innocente quanto pesano? E la morte violenta di un giusto vale quanto quella di un empio che si spegne ricco di giorni? Perché mai l'uomo malvagio gode spesso di una vita lunga e senza scosse – come se qualcuno lo proteggesse – mentre il mite deve subire ingiurie e avversità? La longevità concessa agli uomini senza scrupoli è forse un segno della misericordia divina, vivono così a lungo per avere più tempo di pentirsi e convertire il cuore?

E il dolore, che peso ha?

Il dolore di mia madre, di mio padre, il tuo, quello dello zio Ottavio e il mio (quando morirò) dove finiranno? Sarà polvere inerte o un nutrimento? Non sarebbe meglio poter vivere spensieratamente, senza farsi domande? Ma dove finisce l'uomo che non si interroga, che non ha dubbi?

Arik mi aveva parlato dell'inclinazione al bene e al male che è in ognuno di noi, della lotta che costantemente combattono nel nostro cuore. Vivere inerti, senza farsi domande non vuole forse dire consegnarsi alla banale meccanica dell'esistenza, a quell'inesorabile legge di gravità che (comunque e sempre) ci trascina verso il basso? I dubbi, le interrogazioni non nascono forse dalla nostalgia? Come le cellule apicali spingono comunque e sempre le piante verso l'alto, alla ricerca della luce, così le domande devono spingere noi uomini verso il cielo: il dolore, la confusione, la devastazione del male non sono forse la conseguenza del nostro deviare?

Nella piccola biblioteca del kibbutz avevo conosciuto Miriam, una donna francese sopravvissuta ad Auschwitz. Su un braccio portava dei chiassosi braccialetti, sull'altro il marchio violetto del suo numero. Non riuscivo a distogliere lo sguardo da quelle cifre.

«Ti fa impressione?» mi aveva chiesto.

«Sì» ho risposto con onestà.

Da quella reciproca sincerità era nata la nostra amicizia. Allo scoppio della guerra, mi ha raccontato, aveva ventidue anni, le mancava soltanto un anno alla laurea in biologia.

«Mio padre era un uomo con idee molto avanzate per quei tempi, mi aveva avuto in tarda età ed, essendo medico, aveva sempre incoraggiato le mie curiosità; con sua grande gioia, fin da piccola ero stata attratta da tutto ciò che era vivo: amavo osservare, interrogarmi, sperimentare; mentre le mie compagne di scuola si perdevano nella stucchevolezza delle fiabe, io compivo una navigazione solitaria tra i mitocondri e gli enzimi; i loro processi erano le uniche magie che riuscivano a togliermi il fiato. Il mio idolo era Madame Curie, conoscevo a memoria ogni passaggio della sua biografia. Volevo diventare come lei, mettere il mio intelletto al servizio dell'umanità. Ragionare sulle cose è sempre stata la mia passione; da studentessa – infiammata dal clima di quegli anni – volevo riuscire a dimostrare l'insensatezza del mondo, la sua follia.

«La storia invece mi ha spinto brutalmente da un'altra parte. Ho visto mio padre e mia madre avviarsi verso la morte, ho raccolto il loro ultimo sguardo, prima che sparissero nell'anticamera dei forni. Avrei dovuto morire anch'io, mesi dopo, in seguito alla rappresaglia per un tentativo di fuga, ma qualcuno ha fatto un passo avanti al posto mio; era un uomo: al mio terrore di ragazza ha opposto la sua serenità.

«Sono qui perché lui è in fumo, cos'altro potrei essere se non un testimone, qualcuno che non cessa di interrogarsi su quel passo? Tutte le domande della mia vita sono in quei modesti trenta centimetri: un passo fatto, un altro trattenuto.»

Sedute nell'angolo più fresco della biblioteca, passavamo ore a parlare della morte, del cuore dell'Europa che si era trasformato in cenere in soli sei anni.

«Tutti dicono: dov'era Dio? Perché non ha messo fine alla strage con uno schiocco di dita, perché non ha fatto cadere sugli empi una pioggia di braci, fuoco e zolfo?» mi ripeteva spesso Miriam «ma io dico invece: dov'era l'uomo? Dov'era la creatura fatta "poco meno degli angeli"? Perché sono stati gli uomini a costruire le camere a gas, ingegneri specializzati hanno stabilito l'esatto angolo di rotazione dei carrelli dei forni per ottimizzare il tempo – niente doveva fermare il ritmo dello smaltimento; facevano i calcoli mentre la moglie sferruzzava in salotto e i figli, nei loro pigiami di flanella, dormivano nei letti abbracciati agli orsacchiotti. Sono stati gli uomini a rastrellare le persone casa per casa, a snidarle dai luoghi più nascosti; sono stati gli uomini a inondarsi le mani di sangue, a uccidere i neonati a calci, a massacrare i vecchi; uomini che potevano scegliere e non hanno scelto; uomini che – invece di scorgere nell'altro uno sguardo – hanno visto soltanto un oggetto.»

«Sai qual è la trappola più grande?» mi aveva detto un altro giorno, spolverando quelle poche centinaia di libri che trattava con la dolcezza che si usa coi figli: «È che tutti sono convinti che l'olocausto sia un fenomeno circoscritto nel tempo, si fanno continue celebrazioni in cui, con giusta fermezza, viene ripetuto in coro: "Mai più! Mai più un simile orrore scenderà sulla terra!". Ma quando il bubbone della peste esplode, cosa succede? Il malato guarisce, l'epidemia finisce? o si diffonde invece in modo sempre più virulento liberando i batteri che possono finalmente correre a portare il contagio ovunque?

«Bisognerebbe invece avere il coraggio di dire: "Ancora e sempre!". Perché ancora e sempre, sotto un'apparente normalità, i miasmi di quegli anni infettano il nostro tempo preparando per noi un olocausto di dimensioni cosmiche. E il luogo in cui esercitare la perfezione tecnica è la società.

«Ad Auschwitz nulla era lasciato al caso, non c'erano sprechi né perdite di tempo, esisteva solo il puro meccanismo; era l'organizzazione centrale ad occuparsi di tutto: da quella meticolosa programmazione sarebbe finalmente nato l'uomo perfetto, l'unico in grado di dominare il mondo e il solo degno di viverci.

«E di cosa vogliono convincerci adesso se non del fatto che la nostra società può diventare perfetta come quella delle formiche? Sono davvero le api e le formiche i modelli a cui dobbiamo tendere? Abbiamo zampine, antenne, occhi prismatici?

«Non sono ancora spenti i roghi della fine del comunismo né rimarginate le sue ferite che già ci viene prospettato un nuovo paradiso in terra: un mondo senza malattie né morte, senza deformità né imperfezioni.

«Il paradiso degli apprendisti stregoni. Ogni cosa è nelle nostre mani» strillano da tutte le televisioni e i giornali del mondo, quando qualsiasi persona che si fermi, anche un solo istante, a riflettere sa che niente è nelle nostre mani: non la possibilità di nascere né il momento della morte (a meno di non procurarsela da soli), non l'acqua che scende dal cielo né i terremoti che spezzano la terra.

«Agli apprendisti stregoni sfuggono queste complessità, convinti come sono che i micron di realtà che dominano nelle loro stanze asettiche siano l'universo. Così allegramente mescolano i patrimoni genetici delle specie, in nome del progresso (visibile soltanto a loro e alle multinazionali che siglano i loro brevetti), clonano fiori, animali e sicuramente nell'oscurità segreta di qualche laboratorio stanno già clonando anche l'uomo (in fondo sarebbe anche comodo avere a disposizione una copia di noi stessi da cui poter prelevare i pezzi di ricambio, in caso di guasti).

«La loro arma è la persuasione benefica: manipolano la buona fede delle persone convincendole che tutte queste opere di devastazione hanno unicamente scopi filantropici: come potranno mangiare i miliardi di poveri del mondo senza le nuove sementi inventate dall'uomo per l'uomo? Ma io dico, non bastavano quelle che ha inventato il Signore, non c'è già una straordinaria complessità messa al nostro servizio? E non è forse la nostra incapacità a vedere la complessità che ci spinge a cercare nuovi orizzonti che in realtà sono orizzonti di morte?

«Quando l'uomo sogna per l'uomo un mondo senza dolore, senza imperfezioni, in realtà già srotola reticolati, divide il mondo in adatti e meno adatti dove questi ultimi non sono poi molto diversi da una zavorra, qualcosa da eliminare lungo la strada.

«Naturalmente io sto con Madame Curie – la missione dell'uomo *è* curare il prossimo – ma quando la cura diventa delirio di onnipotenza, quando si intreccia con la lotta per i brevetti miliardari, allora si trasforma in qualcosa di molto diverso dalla giusta aspirazione dell'essere umano. Invece di applaudire alle grandi promesse della scienza, bisognerebbe avere il coraggio di fare una domanda, assumendosi l'impopolarità di Geremia: senza malattia, senza fragilità, senza incertezza, in cosa si trasforma l'uomo? e cosa diventa il suo prossimo? Siamo macchine sempre più perfettibili o inquiete creature in esilio? È nell'onnipotenza il nostro senso ultimo o nell'accettazione della precarietà? Dalla precarietà nascono le domande; dalle domande può nascere il senso del mistero, lo stupore, ma la certezza, l'onnipotenza cosa possono generare?

«Non vogliono forse trasformare l'uomo in un consumatore onnivoro, perennemente insoddisfatto? Compro, dunque sono: è questo l'orizzonte verso cui tutti – docili come pecore – ci stiamo avviando; soltanto che la nostra meta non è l'ovile, ma il baratro; l'idolatria è sempre in agguato nel cuore dell'uomo.

«Catastrofi inimmaginabili ci aspettano dietro l'angolo. Come si può pensare di toccare il cuore dell'atomo, manipolare il DNA e andare ancora avanti? Mentre tutti ballano con la cuffia alle orecchie e gli occhi chiusi dalle estasi artificiali vedo, ogni giorno più vicini, i bagliori della fine.»

Un'upupa camminava davanti a noi facendo oscillare il suo ciuffo.

«Non si può fare nulla?» avevo domandato.

Miriam si era girata verso di me, mi aveva scrutato a lungo, in silenzio – da che profondità veniva la luce dei suoi occhi? – poi aveva detto: «Certo, bisognerebbe pentirsi, aprire il cuore e la mente alla Sua parola. Scacciare gli dei che da troppo tempo banchettano nel nostro cuore. Invece della legge dell'ego bisognerebbe osservare la legge dell'alleanza».

«Ma la legge non è una gabbia?»

«Oh no» aveva sorriso «la legge è l'unica via in cui l'amore può crescere...»

Un miagolio aveva interrotto i miei ricordi: alla porta della cappella si era affacciata una gatta magrissima, la coda sottile come una matita, che al mio richiamo aveva cominciato a fare le fusa accettando con un'espressione estatica i grattini sotto il mento.

Fuori il sole aveva superato lo zenit, dentro la cappella l'aria era torrida. Prima di uscire ho sfiorato con delicatezza la pietra su cui era inciso il tuo nome per poi passare a quella della mamma, con le sue due date – il tempo breve dei suoi anni.

Per un po' la gatta mi ha seguito verso l'uscita poi

è scomparsa dietro una lapide. Gli unici fiori a resistere dignitosamente nei vasi erano quelli di plastica, tutti gli altri penzolavano esausti per il gran calore; intorno ai rubinetti si accalcavano decine di vespe spingendosi furiosamente una contro l'altra nell'attesa speranzosa di una goccia.

Prima di lasciare il camposanto mi sono girata un'ultima volta a contemplare le sue alture (che ospitavano anche il cimitero ebraico e quello ottomano): voi tutti – tu, mia madre, mio padre – eravate là mentre davanti a me si apriva lo spazio ignoto della vita; nel bene e nel male mi avevate insegnato molto: in qualche modo i vostri sbagli costituivano per me una ricchezza.

Tornata a casa, ho continuato a far pulizia.

Ho aperto tutte le finestre per togliere l'odore di chiuso, la luce estiva entrava con prepotenza a illuminare la penombra delle stanze. Sono entrata nella tua stanza per prendere delle lenzuola pulite. L'armadio della biancheria era in ordine perfetto, chissà per quale ragione era sfuggito al furore della tua malattia: qua e là c'erano ancora sparsi i sacchetti di lavanda che tante volte ti avevo visto confezionare con grande abilità. Quando ho allungato il braccio per prendere le lenzuola di lino del tuo corredo, quelle con il monogramma ricamato, ho visto una grande busta gialla posata sopra. *Per te*, avevi scritto con mano incerta.

Non l'avevo mai vista prima: da quando era lì? da prima della malattia, o forse risaliva al periodo dei gesti a metà, di quando ormai le tue azioni per ragioni anche a te sconosciute a un tratto prendevano un'altra strada? L'ho aperta e ho visto che conteneva un grosso quaderno con la copertina a fiori: in quel momento non mi sentivo pronta per affrontare quello che ci poteva essere dentro così l'ho appoggiato sul tavolo della cucina e ho continuato a pulire fino a pomeriggio inoltrato.

Lavorando con foga, quel giorno, avevo preso due importanti decisioni. La prima riguardava il cane: l'indomani sarei andata al canile a sceglierne un altro perché non sopportavo quel giardino vuoto; e la seconda riguardava il mio futuro: in autunno mi sarei iscritta all'università e avrei studiato scienze forestali perché finalmente avevo capito cosa volevo fare per il resto dei miei giorni: occuparmi degli alberi.

Quando il calore del sole è diminuito, ho iniziato a bagnare il giardino. La rosa era alla fine della sua fioritura e non sembrava aver sofferto troppo per la mia lontananza mentre le ortensie apparivano piuttosto malconce: le ho innaffiate a lungo lanciando ogni tanto il getto in aria per vederlo trasformarsi in un pulviscolo dorato.

Alla fine ho preso una sdraio e, con il tuo quaderno in mano e un'aranciata nell'altra, mi sono sistemata in mezzo al prato.

Sulla prima pagina, in alto a sinistra, c'era scritto *Opicina, 16 novembre.*

La calligrafia era la tua, quella ordinata e regolare che da sempre conoscevo.

Sei partita da due mesi così iniziava *e da due mesi, a parte una cartolina in cui mi comunicavi di essere ancora viva, non ho tue notizie...*

Indice

Preludio

Genealogie

Radici